人間の叡智（えいち）◎目次

はじめに

日本は過去二十年、構造的な停滞の中にある。この停滞は、すでに危機的な状況に至っている。二〇一一年三月十一日の東日本大震災で、この危機が可視化された。被災地域を復興し、福島第一原発事故処理を迅速かつ適切に行って、国民の安心感を回復しなくてはならない。そして、経済を復興させ、日本国民と日本国家が生き残る体制を整えなくてはならない。政治エリートも経済人も、普通の国民も、危機を克服すべく努力している。しかし、歯車がうまく噛み合わず、目に見える成果が現れていない。

日本を取り巻く国際環境も、危険がいっぱいな状態だ。国際社会のゲームのルールが、十九世紀末から二十世紀の帝国主義に類似したものになっている。もっとも、古典的帝国主義のような、植民地分割をめぐる帝国主義国間の戦争は起きにくい。それだから、新・帝国主義の時代と呼ぶことにしたい。旧来の帝国主義も、新・帝国主義も「食うか、食われるか」の弱肉強食を原理とする。帝国主義国は、相手国の利益について考えず、まず、自国の利益だけを最大限に主張する。そして、相手国が怯み、国際社会も沈黙すると、帝国主義国は平然と自国の権益を拡大する。相手国が必死になって抵抗し、国際社会からも「ちょっとやりすぎじゃないか」と顰蹙を買うと、帝国主義国は国際協調に転じる。これは帝国主義国が心を入れ替えたからではない。やりすぎると諸外国の反発を買い、結果として自国が損をするという状況を冷静に計算して、妥協するのである。新・帝国主義の時代には、情報収集、収集した情報の精査と分析などとともに、これらの情報をもとに、いかに自国の国益を増大するような「物語」を構築できるかという、ストーリーテラーとしての能力が必要とされる。

新・帝国主義という国際環境の下で、困難な国内状況に直面しているにもかかわらず、日本人も日本国家も生き残らなければならない。なぜ、日本人と日本国家が生き残らなくてはならないのか。それは、父母、祖父母たちから引き継いできた日本を、われわれが子孫に継承していかなくてはならないからだ。そこに理由はない。あえていえば、「そうなっているから、そうするのだ」ということである。神、愛、家族、民族、国家などもっとも重要な事柄については、なぜそれが必要かという理由を究極的に説明することはできないのである。神、愛、家族、民族、国家などについて、人間が思いつきを語るのではなく、神、愛、家族、民族、国家などがわれわれに対して何を語っているかについて虚心坦懐に耳を傾け、その内在的論理をつかまなくてはならない。この内在的論理から、生き残りのために必要な叡智が生まれてくる。こういう叡智を英語ではインテリジェンスという。インテレクチュアル（知性）は、後天的に身につけた人間の知識を指すが、インテリジェンスは、「あの猫はすばしっこくてなかなかつかまらない。インテリジェンスがある」と動物に対しても用いることができる。人間を含む動物が生き残るために必要となる情報や知恵がインテリジェンスなのである。

さらに神学の世界には「総合知に対立する博識」という格言がある。断片的な知識をいくらたくさん持っていても、それは叡智にならないということだ。断片的な知識をいかにつなげて「物語」にするかが、有識者の課題と私は考える。ここでもストーリーテラーとしての能力が必要となる。

専門的な事柄をできるだけわかりやすく書くことをこれまで私は心がけてきたつもりであるが、ときどき読者から「ちょっと文章が難しい」「中学生の息子（娘）にも読めるように工夫して書いてもらえないか」という注文を受けたり、日本語を解する外交官や学者から「外国人にわかりやすい日本語で書かれた佐藤さんの本を紹介して欲しいのだが」と尋ねられたりすることがある。そこで今回は、思い切って語り下しで、わかりやすい本を作ることにした。検察官面前調書の場合、供述をする被疑者よりも尋問をする検察官が圧倒的に優位な立場にある。そして、検察官の尋問をベテランの検察事務官が文書にまとめる。語り下し本も、それと同じ構造だ。本書では、検察官役を文藝春秋の飯窪成幸氏が、ベテラン検察事務官役を文藝春秋OBの神長倉伸義氏が果たして下さった。そして、返答や説明に困ったときに文藝春秋の渡辺彰子氏が、見事な弁護人役で私を助けて下さった。お三方の御尽力に心の底から感謝申し上げます。

二〇一二年五月三十一日　東京都新宿区曙橋の仕事場で、

飼い猫のタマ（一歳、去勢済みのオス）をひざに抱きながら

佐藤優

第1章　なぜあなたの仕事はつらいのか

東京大学のサバイバル

いま、東京大学が九月入学制に変えようという動きを進めています。これは、東京大学の当事者がどれくらい意識しているかは別として、教育を新・帝国主義の現代に適応させようとする動きなのです。

これまでの日本の教育システムは、非常に特殊でした。端的に述べると後進国型の教育システムをとっていました。後進国というのは、なるべく早く外国語のわかる外交官を育て上げて外交交渉をしないといけない。また、なるべく早く税務署長をつくって国の税収を上げないといけない。そのために国家はどうするか。記憶力のいい若者を集めてくるのです。そして促成栽培で、事の本質を理解しなくてもいいからともかく暗記させる。暗記したことを再現できる官僚を養成する。明治以来、東京大学を頂点とする日本の教育システムは、そういう後進国型の詰め込み式で、それは戦後になっても変わっていません。その結果、いま日本の官僚が恐ろしく低学歴になっている。

低学歴というと奇異に聞こえるかもしれませんが、こういうことです。たとえば、国際会議に出て来る各国官僚の局長クラスで、ＰｈＤ（博士号）やＭＡ（修士号）を持っていない人はまずいない。ところが日本は、局長でもMAを持っていないどころか、大学を卒業していない人もいる。特に外務省の場合は、東京大学を三年で中退し、国家公務員I種試験（いわゆるキャリア試験）に合格して官庁に入るのがエリートということになっているのですから。大学入試の十八歳か十九歳の時点でどれだけ記憶力がいいか、その記憶を再現する能力があるかを問うて選別し、あとは企業や官庁に入れてから育てるという発想です。そのために企業や官庁は教育にすごく投資してきた。

ところが、グローバルな形での資本主義化が進みつつある中で、その余裕がなくなってきたのです。もはや企業も官庁も、教育はしない。入る前に自分で力を付けて来いといって、国際スタンダードで見て力のある者を採用することになる。国家公務員試験も、民間の入社試験も、そういうふうに変わってくると思います。東大が推進しようとしている秋入学はその一つの現れです。いろいろな大学で九月入学制にしたり、在学年限をフレックスにしたり、ということが起きるでしょう。

それは、現今の就活システムとか、終身雇用システムが崩れていく一つの流れであり、あられもない資本主義のグローバリゼーション＝帝国主義化のなかで、大学や企業が身悶えしているのです。

なぜあなたの給料は上がらないのか

今後、就職活動はますます厳しく、難しくなるでしょう。就職できたとしても、給料はいまのレベルの横這いにとどまるか、もしくは減っていってしまう。一方で金持ちの人たちは前より貧乏になるわけではなく、むしろさらに金持ちになる。社会の真ん中より少し下くらいの層で、どんどん格差が広がっていく。

それは労働の内容が、日本人でも中国人でも韓国人でも、あるいはタイ人でも、誰でもできるものになっているからです。世界中でヒト・モノ・カネの移動が自由化して、中国の労働力と日本の労働力が簡単に交換できるようになった。そのために日本国内では産業の空洞化が起こり、格差が広がっていきますが、別の観点からすると、中国の労働者と日本の労働者の賃金格差は、かつてなく縮まっているのです。日本で工場が閉鎖され失業者が出ることは、中国やタイやベトナムなどで何倍かの労働者が雇われることを意味します。

つまり、いまの不況や雇用の問題は、日本人の賃金が中国人の賃金と同じまでに下がらないと解決しないことになります。たとえば大学卒の初任給が四万円くらいに下がって初めて解決するということです。

こういう状況はなぜ生まれたのか。ちょっとややこしい話ですが、説明しましょう。

それは二十年前の、冷戦構造の崩壊と関係しています。アメリカとソ連という二大国が地球を二つに割って対峙していた冷戦時代は、「国家独占資本主義」といわれる状態にありました。これは一昔前までのマルクス経済学で使われていた用語ですが、冷戦期の国家と資本の関係を説明するにはわかりやすい定義です。

まず、資本主義というのは段階を追って発展していきます。最初は西欧の絶対王政下の国でとられた重商主義。その後、自由貿易を中心とする形での自由主義的な産業資本が出て来る。そして資本の規模がどんどん大きくなってくると、個人所有の会社から株式会社へ発展し、金融資本が中心となって帝国主義化し始める。商品ではなく資本の輸出が主流になる。市場を求めて外国に進出するのですが、世界の植民地化が基本的に終了すると、対外進出は帝国主義国どうしの軋轢（あつれき）を引き起こし、状況によっては戦争も辞さないということになり、必然的に国家の役割が肥大します。

ところが帝国主義の発展と時を同じくしてロシア革命が起き、ソ連型の社会主義体制ができてしまった。そうすると、帝国主義化した資本主義体制の国々も資本主義を守るために国家が経済過程に干渉し、福祉政策や失業対策など、資本家の利潤追求の妨害になるような政策をあえてとるようになります。利潤が多少減少しても、社会主義体制になるのを防ぐためにはやむをえないというわけです。またイデオロギー的にも、社会主義の理想郷（ユートピア）よりも資本主義社会のほうがいいものだと宣伝していく。国家の暴力が資本の暴力を押さえ込み、労働者のプラスになるようにするのですが、なにもそれは善意からではなく、資本主義というシステムを維持することが国家にとって得だったからです。国家が資本の中に手を突っ込んでくるということですから、これをマルクス経済学では「国家独占資本主義」と規定したわけです。

冷戦期は、国家がはからずも資本の暴走に一定の歯止めをかけていたのです。経済学で賃金に「下方硬直性」があるといわれたのも、そのためです。景気がわるくても賃金を下げることはできないし、コストカットもできない。したがってコストプッシュ・インフレになる。だから冷戦期の先進国はいずれもインフレ克服が課題でした。

しかし、そうした状況は今や一変しました。

ベルリンの壁が崩れ、ソ連が崩壊すると、ソ連をはじめとする社会主義国は、プロパガンダでいわれていたような理想郷どころか、その実態は遥かにひどく、資本主義国のほうがよっぽどましなことが明らかになりました。資本主義の勝利です。もはや、資本は遠慮する必要がなくなったのです。東西をへだてていた壁はなくなり、グローバル資本主義といっても純粋資本主義といってもいいのですが、資本の論理のみによって労働者から搾取、収奪を強めていけばいいということになる。そのため、エコノミストの浜矩子（のりこ）氏の言葉でいえば、「四つの労働者階級」ができた。一番目は正規雇用の労働者。二番目は期間工や派遣労働者。三番目は外国人労働者。四番目は就職難民。それによって「賃金の下方柔軟性」ができてしまった。だからあなたの給料は上がらない、いや、下がり始めたのです。

これが現在起きている、二十一世紀型の新・帝国主義の状況です。

したがって、新・帝国主義の時代を生き抜くには、まず国家の問題を考えねばなりません。資本の暴走を防ぐのは国家だからです。

国家が消えた瞬間

いま、われわれは国家を空気のように感じていて、国家は必ず存在するものであり、国家がない生活は考えられないと思っています。けれども、本当はそうではない。社会と国家は違うということをまずおさえておくことが大事です。

そして国家について議論する場合、マルクス主義、あるいはスターリン主義の呪縛から抜け出すことが重要になります。一昔前までの中学校や高校の教科書では、世界の歴史は原始共同体から始まり、奴隷制社会、封建制社会、そして資本主義社会になったと書いてありました。その先のことは書いていませんが、実は社会主義社会になり、最終的に共産主義社会になるということが含意されていたのです。こういう単線的な歴史観は、全く実証的な根拠はないのですが、ソ連が崩壊するまでは力を持っていて、日本だけではなく、世界中の教科書に書かれる歴史観になっていました。そこでは国家の問題が決定的に抜け落ちています。

社会と国家は違います。国家は、古代からずっとあったものと、現代に生きる私たちは思っている。しかし国家は、あるときもあれば、ないときもあったのです。

イギリスの社会人類学者、アーネスト・ゲルナーが説得力のある議論をしています。ゲルナーは一九二五年、パリでドイツ語を話すユダヤ人の家庭に生まれ、すぐチェコに移りますが、一九三九年にイギリスへ亡命します。軍に勤務した後、戦後イギリスのオクスフォード大学で社会人類学を学んで独自のナショナリズム論を組み立て、『民族とナショナリズム』（一九八三年）を著した。一九九五年に死去しましたが、ゲルナーが残した業績は世界のナショナリズム研究の基本になり、欧米では圧倒的な影響力を保っています。ゲルナーは、イブン＝ハルドゥーンやヒューム、マルクス主義のあらゆる古典文献から中世神学、中世哲学の普遍論争まで、さらにはウィトゲンシュタイン、ウィーン学団の論理実証主義などの集積を全部ふまえたうえで議論を組み立てているのです。

ゲルナーによると、人類は前農耕社会（狩猟採集社会）、農耕社会、そして産業社会という三つの段階を経てきました。狩猟採集社会とは、たとえば日本ではアイヌの社会がそうでしたが、規模が小さいから、国家のような組織を持つ必要はなかった。それに対して、農耕社会においては、古代エジプトや中国のような大きな国家ができる。ただしどこでもそうなるわけではなく、自給自足の農村どうしがネットワークを組んでいるような、国家をほとんど意識しないで済む場合もある。では産業社会はどうか。これは必ず国家がともないます。産業社会は巨大で、複雑な分業と協働によって成り立っているので、国家による強制や統制が必要になるからです。

今、われわれは産業社会に生きていますから、国家と社会が一体化しているような幻想にとらわれているわけです。国家のない社会などというものを想像するのは難しい。

しかし、実際に国家がなくなることがあります。たとえば三・一一の東日本大震災後の数日間、被災地域においては国家は機能しなかった。だからといって略奪が起きてひどい状態になるかというと、そうではなかった。日本人の力を見直そうという話になりますが、それは言いかえると、国家がなくても、社会が機能すれば人間は生きていけるのだという一つのモデルなのです。

この国家が機能しない状態がもう少し中長期に続いたのが、ソ連邦の解体期でした。私は、一九八七年八月から一九九五年三月までの七年八カ月、年齢では二十七歳から三十五歳までの間、モスクワに外交官として在住し、ソ連という巨大帝国が崩壊する過程を目の当たりにしました。新たにリトアニア、ラトビア、エストニア、ウクライナなどの国家が独立し、荒廃の中からロシア連邦が改めて出現するという、国家と社会に裂け目ができた時代を目撃したことが私の原体験になりました。

その経験からすると、国家には、密度、暴力性が強まる時期と、それが希薄になる時期がある。振り子のように振幅があるのです。冷戦崩壊以降、グローバル化が進むなかで、国家の介入が薄まったのは事実です。しかし、だからといって、よく言われるように世界がフラット化して、資本の論理だけでやっていけるのかというと、そうはならない。再び国家の機能強化への逆転が生じてくることになる。

いまは再び振り子が国家の機能強化の方向に振れようとしています。先進国はみなそうです。リーマン・ショック後のアメリカの対応もそうですし、債務危機に対するユーロ加盟国の対処の仕方もそうです。

そういう世界の状況への対応の一つとして、日本でも東京大学が九月入学へ動くということが起きているのだと思います。そのようにしなければ国民の知的な潜在力を日本国家がもはや吸収できないのだという集合的な意志が働いている。当事者がどこまで意識しているかは別として、国家というのは、国家自身の生き残りを考え、そのためには何でもするものです。

ドイツやロシアに「魚は頭から腐る」という諺がありますが、国のエリート層がおかしくなると、国全体がおかしくなってきます。それを裏返せば、エリート層をしっかりさせることによって、国家全体の再建がなされてくる。東京大学は、知的エリートを集めている機関として、無意識のうちにその危機を感じているのです。国家の生存本能が、東京大学の人たちを動かしているといってよいでしょう。

新・帝国主義とはなにか

二十一世紀の世界は、ネーション・ステート（国民国家）だけではおそらく生き残れない。新・帝国主義とは、そういう時代なのです。

私たちは、帝国主義は「悪」だと思っています。戦前の大日本帝国は間違っていた、という教育による連想もありますし、かつての学生運動では、ベーテー断固粉砕、つまり米帝国主義に反対する、という言い回しもよくありました。

しかし、本当に帝国主義は悪なのでしょうか。

帝国主義をどう定義するかというとき、現在基本になっているのはレーニンの規定です。資本主義の最高段階としての帝国主義。資本主義が発展して、産業の規模が非常に大きくなった。大きな資本が必要だから、個人の資本家では賄えず、銀行を通じて幅広く資本を集めることによって巨大産業をつくる。その巨大産業が国家と一体になって対外進出を行って、外地から収奪してくる。しかし植民地の分割はすでに終わっているから、植民地の再分割がおこなわれなければならず、帝国主義は必ず戦争をもたらす。そのときに反戦運動を起こし、戦争を内乱に転化させ、内乱から革命を起こすのだというのが、レーニンの基本的なテーゼです。レーニンに賛成する人であれ、反対する人であれ、レーニンの規定したところの帝国主義を前提にして考えてしまうので、帝国主義について固定化された、否定的なイメージからなかなか抜け出せません。

しかし、そもそもレーニンの『帝国主義論』（一九一七年）は、イギリスの帝国主義研究家のジョン・アトキンソン・ホブソンという人の『帝国主義論』（一九〇二年）のほとんど模倣と言っていい。この人の理論はもうすこし柔らかで、国内の市場が狭くなって投資の可能性に限界がきたときに外国へ出て行き、富を確保することによって生き残るという、重商主義の延長のイメージで帝国主義を捉えています。

もう一つ、理論の側面から重要なのは、カール・カウツキーという第二インターナショナル（一八八九年から一九一四年まであった社会主義者の国際組織）のマルクス主義者です。いわゆる正統派で、ベルンシュタインの修正主義には反対するのだけれども、レーニンのロシア革命に対しても、あのような革命が成功するはずがない、社会主義革命は資本主義の発達したところで成功するものだと考えた人ですが、カウツキーの主張に「超帝国主義論」があります。これは、国家も資本も戦争を極力やりたくない、政治的なリスクも経済的なリスクも大きいから戦争を避けようとする、戦争によって利益を追求するのではなくて、話し合いで適宜利害調整することで帝国主義国は生き残っていこうとするという考え方です。

このカウツキーの超帝国主義論が、二十一世紀の時代を読み解く上でカギになると私は見ています。二十一世紀の現在、帝国主義大国間では超帝国主義的な平和を維持することは可能です。植民地争奪をめぐり必ず戦争に至るという、レーニンの規定した十九世紀末から二十世紀前半までの帝国主義と区別して、私は新・帝国主義という言葉を用いたいと思います。

国家のエゴが剝き出しになる

新・帝国主義の世界では、大国間の戦争は防げるでしょうが、帝国主義の時代と同様、国家の生存本能が剝き出しになってきます。相手国の立場など考えずに、自国の利益を最大限に主張する。相手が怯んで、国際社会が沈黙すれば、横車を押す。そうして権益を拡大して行く。新でも旧でも、それが帝国主義本来の生き方です。

そして、諸国家が二つのグループに分けられてしまう。世界の国際秩序を作る主体的なメンバーとしての国家群と、作られた秩序を受け入れるだけのパッシブな国家群。エリートクラブと非エリートクラブにはっきり分かれてしまうのです。いまのエリートクラブは、G8（日米英仏独伊露加）プラス中国。日本没落論もありますが、日本にはまだ国際政治の秩序をつくるだけの力が明らかにあります。最近の中東情勢でも相当のプレイヤーとしての役割を果たしている。ただ、その意識が希薄であるのが問題です。日本という国の問題は、帝国主義のゲームのルールがよくわかっていないことです。対してアメリカもロシアもそれがよくわかっている。一方、中国は、どこまでわかっているか怪しい。中国は見るからに帝国主義国として振る舞っていますが、やり方が非常に稚拙です。新・帝国主義の時代のルールは、横車を押すけれど、もし相手が猛然と反撃してきて、国際社会においても少しやり過ぎだとみなされた場合には、国際協調に転ずることもありうる、ということがわかっていない。ただし協調といっても心を入れ替えるわけではなく、これ以上ゴリ押しすると結果として自国にとって損になるから、とりあえず妥協に転ずるというだけなのですが。

これはビジネスの世界では日常的にあることとです。別の言い方をすると、すごく古いモデルです。力の均衡、ニュートン力学のモデル。いくつかの力がどう均衡するかということです。静止しているわけではないから、動的均衡かもしれませんが、勢力均衡外交が帝国主義の基本的なゲームのルールです。

もともと「帝国」というのは、ネーション・ステート（国民国家）の枠に収まらないものです。ネーション・ステートは平等な国民によって形成される均質な政治空間を作り出します。それに対して帝国とは、均質的な政治空間だけで支配されているのではない国家です。国家の中でいろいろな空間に密度の差があって、熱力学でいうと、耐エントロピー構造を持つものが必ず含まれている。エントロピーは蒸気が部屋中に広がって部屋のどこでも温度を一定にするように、拡散する物質の属性を指しますが、それを抑えるのが耐エントロピーで、他と区別される特殊なものを維持する。社会でいえば、底辺か上層部を占有するような集団を作り出して、凸凹な状態にする。

逆にいえば、完全にフラットな国は、帝国にはなれない。異質なもの、外部を含んでいるのが帝国です。

新・帝国主義に向けて比較的早い切り替えをしたのがヨーロッパ、EUです。ネーション・ステートという政治的な枠組みは維持するけれども、ユーロという通貨統合をおこなって、一体化した経済圏を作り出すことによって帝国を構成した。帝国というのは、異質な人々の間で、われわれは身内なのだと言うことができるシンボルを持っているということです。そのシンボルが可視化されたのがユーロという通貨なのです。だから、ユーロがないと、たぶんヨーロッパはバラバラになります。

日本は帝国となりうるのか

　では日本はフラットなのかというと、そうではない。やはり帝国なのです。なぜなら沖縄があるからです。日本はネーション・ステート（国民国家）のように見えているのだけれど、沖縄という地域をうまく統合できていない。今上天皇は沖縄への思いが強く、琉歌を詠み、さまざまな勉強もしておられます。おそらくそれは、沖縄がその歴史をふりかえれば外部領域だとわかっておられるからです。

　天皇は国王ではなく皇帝です。その証拠に戦前の日本は大日本帝国を名乗っていました。皇帝は国家という領域を超える範囲をもっていますから、本来ネーション・ステートとは馴染みにくいものです。

　普天間問題を突き放して見ると、政府は普天間移設を閣議決定して、アメリカとも協定した。両国の外務・防衛担当閣僚会合（2＋2会合）で、具体的な工程、ロードマップまで作っている。しかしそれが実現できない。手続き論からすると異常なことが起きているのであって、国家として法の執行ができない状況であるわけです。なぜそこで強行できないのかというと、強行したら日本という国家が割れることに、現在日本の権力を握っている政治エリートが気付いているからです。野田政権は、沖縄問題が国家統合の問題であり、えらいところに火を付けてしまったと気付いている。沖縄に一括交付金を出すなどいろいろやっていますが、事実上、一国二制度に限りなく近づいています。

同時に、興味深いことが沖縄で起きています。正確な統計はありませんが、私の皮膚感覚では、沖縄では偏差値と違う基準の「エリートの巡礼」が起きている。「巡礼」というのは、ナショナリズム論の名著『想像の共同体』（一九八三年）の著者、ベネディクト・アンダーソンの概念で、民族ができるときに、植民地の大学を中心としたエリートの配置が行われることを指します。インドネシアができるときには、バタビアの高等教育機関を中心に、地元の植民地エリートが配置された。宗主国の大学よりも植民地の大学を出ていることのほうが、地元のエリートにとって重要になるということです。

沖縄の場合は、琉球大学の卒業生が、恐らく県庁職員の過半数を占めていると思います。それから沖縄タイムス、琉球新報、さらに沖縄電力をはじめとする主要な地場産業の中心を、琉球大学出身者が圧倒的な比率で占め、それに沖縄国際大学、沖縄大学、名桜大学を足すと、ほとんど寡占状態になっていると思う。東大を頂点とする日本の大学のヒエラルキーからすれば、これは異常です。しかし、その異常な環境に心地よさを感じて、またそれをどうしても是正することができないのは、沖縄がもともと日本とは違う国だからなのです。

しかし、その沖縄を抱え込んでいることができるから、日本はいまだ帝国なのです。帝国的な発想ができると、むしろプラス思考で考えるべきです。

国民国家を超えるものとは

考えてみれば、冷戦期とは特異な帝国主義の時代でした。米ソ二大帝国の間で均衡が維持されていた。その間、局地戦は行われたけれども、全面戦争は避けられてきた。

ソ連という国名自体が非常に帝国主義的です。正式国名は「ソビエト社会主義共和国連邦」で、民族を暗示する言葉が一つもない。民族というのは、ネーション・ステートをつくるために使われる一番主流の「宗教」なのです。だからこそ、帝国をつくるには、民族を超える原理が必要です。ロシア民族はあっても、ソビエト民族というものは存在しないわけで、ソ連は国名からして民族とは違うものを原理とした帝国でした。

ただ、これは二重の帝国だったのです。一つには資本主義を超えた未来の帝国というイメージを掲げていた。一九二二年のソ連国家創設の時点では、近代に流行したネーション・ステートを超克する共産主義の論理を示すものでした。しかしもう一つ、現実においては帝政ロシア、つまり近代的な資本主義が成立する以前の国家形態に引き寄せられて行きました。権力の中心であるソ連共産党中央委員会は絶大な権力を持つが責任は一切負わないという点で、帝政ロシアの王朝とよく似た国家になったのです。プレモダンな帝国と、ポストモダンな未来的帝国が合わさったのがソ連でした。

ちなみに、国名と帝国という観点からすると、ソ連がなくなった後、現在の世界で民族を暗示する要素が全くない国家は、一つだけです。イギリスです。イギリスの正式国名は、「グレートブリテン及び北部アイルランド連合王国（United Kingdom of Great Britain and Northern Ireland）」。王によってまとまることを統合の原理としていて、民族としてはウェールズ人、スコットランド人、イングランド人がいても、グレートブリテン人という民族があるわけではありません。アイルランド人はいますが、北部アイルランド人という民族もないのです。したがってイギリスはユーロ圏に入らなくても帝国なのです。民族を超え、異質なものを抱え込んでいる。

よくイギリスの生き残り戦略から学べとか、海洋戦略から学べとか言う人たちが無意識に語っているのは、「帝国から学べ」ということです。ネーション・ステートと違う原理がイギリスにある、それを学ぶべきだということです。

ＴＰＰで日本はどうすべきか

新・帝国主義の時代の基本は、戦争相手ではない国どうしで、文化が比較的共通するところが集まって棲み分けしていくことです。ＥＵや、ロシアの提唱するユーラシア同盟がそれです。

では、われわれ日本はどこへ行くのか。東アジア共同体で、中国と一緒になって共栄圏をつくるのか、あるいはＴＰＰ（環太平洋戦略的経済連携協定）でアメリカと一緒にアジア・太平洋国家として生きるのか、あるいは孤立主義、一国帝国主義でやっていくのか。その問題がつきつけられているわけです。いまや帝国内と外側を分けるという形で各国は生き残りを図ろうとしています。

近年、急浮上したＴＰＰが典型です。ＴＰＰ問題は誰の身内になるのかが問われていると考えるべきです。ＴＰＰは自由貿易原理主義だから反対という論は、事の本質がわかっていません。逆に賛成派は、ＴＰＰ反対は保護主義だと主張しますが、これも自由貿易主義のドグマにとらわれている。新・帝国主義の時代においては、ＴＰＰはむしろ保護主義だからいいのです。

現在、アメリカは金融緩和によってドル安誘導をおこなっています。為替ダンピングをおこなっているのですから、たしかに反対派がいうようにいまのままの枠組みで日本がTPPに参加すれば、対米貿易で不利になる。アメリカに対しては相当、損をしてしまう。しかし、農業にしても医療にしても金融にしても、政治力を発揮して、日本の国益を反映させる交渉をきちんとおこなえば、相当巻き返せると思います。いずれにせよ、これは交渉術の問題です。

それよりも注視しなければいけないのは、TPP加盟国と外側との関係です。単刀直入にいえば、TPPは新・帝国主義の時代において、アメリカと日本が提携して中国との間に壁をつくる「枠組み」として浮上してきたのです。当初、シンガポール、ブルネイ、チリ、ニュージーランドの環太平洋地域の小国四カ国でスタートしたTPPに、アメリカが加わり、日本もまた加盟するといった事態が生じたのは、新・帝国主義下の「生き残りゲーム」の必然と言えます。軍拡をつづけ東アジアの覇権を握ろうとする中国を安全保障面でおさえると同時に、経済的に中国との間に壁をつくる。われわれはTPP内で日本人雇用を生み出していかなければなりません。そうしなければ、中国との賃金格差がなくなるまで日本国内の格差がひろがっていくことになるのは先に述べた通りです。

しかしTPP内部でも、たとえばアメリカから、あるいは中南米から、あるいはオーストラリアから人口が大量に流入してくる心配はないのか。

恐らくそれはないと思います。なぜなら、言語と距離のバリアがあるからです。単純労働をするのにも、コンビニで働くのにも、あるいは宅配業者で働くのにも、日本語を読めないといけない。しかし日本語が複雑な漢字と仮名を両方使っている状況の下では、そう簡単に身に付けることはできない。したがって、TPPの内側から労働力が入ってくるのには限界がある。しかし中国は距離も近いし、文字のバリアが低い分だけ大量流入が可能になってしまいますから、ここには壁をつくる必要があるわけです。

いま、日本は分れ道に差し掛かっているのです。TPP加入か、それとも、あえて中国、韓国と提携して東アジア共同体を構成し、経済的にアメリカとの間、ヨーロッパとの間に壁をつくっていくのか。すなわち、アメリカに軸足をおいて二十一世紀の日本の生き残りを図るのか、あるいは中国に軸足をおいて生き残るのか。

二十年後の世界を考えると、おそらくアメリカと中国が相当に接近することは避けられないでしょう。アメリカと中国が二大国になって、国際関係を動かしていく。その事態に備えて日本の基礎体力を強化するために、いまはアメリカと一緒にTPPを動かしていくべきだと私は考えます。そうでないと、中国という「混沌の帝国」に日本はあっという間に呑みこまれてしまいます。

トッドの『移民の運命』から見えるもの

保護主義についてはフランスの人口学・歴史学・家族人類学者のエマニュエル・トッドが興味深い議論を展開しています。トッドの保護主義論は、プーチンのユーラシア主義とも一緒で、一種の棲み分け理論なのです。その根っこにあるのはドイツの経済学者、フリードリヒ・リストの思想です。リストが『政治経済学の国民的体系』(一八三七年)で主張したのは、二重の関税同盟です。一つはドイツ国内での単一関税。もう一つはヨーロッパ大陸全域における関税同盟。すなわち税金を課さず、同盟の中では物の移動を自由にすることを考えた。当時は人と資本の移動は前提になっていなかったので、物の移動です。また、北米地域においても域内で物の移動を自由にする。なぜそれが必要かというと、世界一律の自由貿易だと、圧倒的な植民地を持って世界中を支配している大英帝国が有利になってしまうからです。ただしリストはイギリスと対抗しようとするのではなくて、イギリスと交易して、友好関係を維持するのが目的でした。しかし保護主義への裏切りだと非難されて、結局、彼は自殺してしまいました。

トッドは、ＥＵの中では関税なしにして、アメリカはアメリカで北米を関税なしにすればいい、またロシアはユーラシア地域で関税なしでやる。それぞれの市場を外部から保護するという。そして物の移動は構わないが、資本の移動を若干規制するとともに人の移動を止めるのがポイントです。完全な自由貿易だと人の移動が自由になり、ヨーロッパの賃金がマグレブやトルコと同じになるまで下がる。すると人々の購買力がなくなってＥＵ内の資本主義が駄目になるというのです。

一般にトッドは、ユーロは滅ぶという見方をしていると思われています。私はトッドと一緒の座談会に参加しましたが、彼に言わせれば、ユーロはドイツによる収奪を強化するだけで、一言でいえば、ユーロとは形を変えたマルクにすぎないという発想です。トッドはユーロが滅びると本気で予言しているのではなく、ドイツよ利益を吐き出せ、と言っているわけです。ユーロの危機はフランスの責任ではない、ドイツの問題だ。ドイツがユーロという制度を利用してギリシャ、アイルランド、スペイン、ポルトガルから収奪して一人勝ちしたことが、ユーロ危機を招いた、という主張です。フランス人のトッドとしては、「我々は少なくとも他人には迷惑をかけていません、自分たちだけで細々とやっています。

この危機はドイツが引き起こしたのだから、自分で始末をつけなさい。そうしなければユーロは解体する」とドイツを牽制していると私は睨んでいます。

リーマン・ショックを予言したことでトッドの評価は高まっていますが、彼の著作の中で一番参考になるのは『移民の運命』（一九九四年）です。トッドは移民を二つのパターンにわけます。同化型と寛容型です。

前者の例はフランスで、ムスリムの移民に対してものすごく厳しく同化を迫る。ムスリムを象徴するヘジャブという女性のスカーフはさせない、フランス語を喋れ、と強要する。そうすると、二代目には差別が完全になくなる。だからサルコジ前大統領が出現できるのです。サルコジはユダヤ人の母をもつハンガリー移民二世です。新自由主義政策をとったサルコジに対するトッドの忌避反応は、「なんだ、この移民が」という感情が根底にあると思います。下半身の話を表に出してスキャンダルの対象になって、と。しかし、反発はしながらもサルコジの存在は受け入れているのです。

一方、イギリスは移民に対して寛容型です。トッドは、西大西洋のアンティル諸島から英国へ来た黒人に関する分析をしています。彼らの家族システムや習俗はイギリスと同じなのだけれども、イギリス社会に同化させない。イギリス人は同化主義ではなくて、寛容主義なのです。多文化尊重主義といえば聞こえはいいが、それは経済の状態がいいときだけという条件つきです。経済が悪くなると、移民に皺寄せがきて、差別されて就職もできなくなる。

結局、移民についての方策は、その二通りしかないのです。フランス人になりきった者は生き残れる、なりきれないなら差別を受けるのは当たり前だというフランス・システムか、どうぞみなさん歓迎しますといって安い労働力としてこき使い、本質的には社会に入れてやらないというイギリスの寛容型か。

本質が見えていないTPP反対論

ＴＰＰ反対論者の議論からは、新・帝国主義の時代に日本がどう生きのびるかという視点が見えてきません。また「開国」を唱える賛成論者も幼稚です。ＴＰＰは単純な自由貿易主義ではないのです。ＴＰＰの外側に対しては保護主義、というのがポイントなのです。

反対論も、農業がやられるとか、金融がだめになるとか、個別の話ならありえます。保険制度について心配があるなら日本の損保が業界として声をあげればいい。先日、私は石川知裕衆院議員（新党大地・真民主）と一緒に沖縄の久米島へ行ってきました。石川氏は製糖業がＴＰＰで決定的な打撃を受けるので、自分の地元の北海道とともにトウキビ作りが重要な地位を占めている沖縄を視察したのです。石川さんはＴＰＰに反対ですが、私はＴＰＰの流れは阻止できないので早く参加してゲームのルール作りに加わったほうがいいと考えます、しかしアメリカも砂糖については保護政策を採っているのであり、自分も経済だけでなく安全保障や文化などあらゆる理屈をつけて沖縄の砂糖を守るために努力すると話してきました。また、新党大地・真民主の鈴木宗男代表は、米は日本の文化だから、七八九パーセント、一〇〇〇パーセント近い関税をかけることによって文化が保全できるのだと主張している。こういう個別の業界の話ならわかりやすい理屈で、いいのです。

しかし国家全体としてなぜＴＰＰに反対なのかということになると、そこにはＴＰＰ反対の形而上学がある。するとこれはもう神々の争いになってしまって、究極では「僕はそう思う」ということですから、哲学でいう独断論です。独断論は崩せません。「はい、そうですか」と聞くしかない。反米というポジション設定が最初にあって、それに合わせて経済の数字を拾ってきて理論を組み立てている、としか思えません。

移民についてもそうです。冷静な議論をすれば、少子高齢化が進むなかで、日本は移民を全く入れずしていまの経済力と社会の利便性を確保することができるのでしょうか。移民の流入をゼロにするのだったら、日本人が老人の介護や、きつい肉体労働もすべて自分たちでやるということです。

ロシアに行って私が一番驚いたのは、白人が便所掃除と道路掃除をしていることです。イギリスでは便所と道路の掃除をしているのは黒人か、インド人か、パキスタン人かに限られる印象でしたから、その意味ではロシアはいい国だと思います。管理部門にわれわれと同じような顔をした東洋人がいる。そしてきつくて辛い肉体労働に白人、金髪のロシア人が従事している。これに対して誰も違和感をもたない。

日本もそうなるのがいいかどうか、これはよく考えて慎重に選択しなければなりません。しかし労働人口の高齢化が進む現状では、日本人だけで3K労働をまかなうのは無理なところまで来ていると思います。

トッドは少子高齢化の原因は識字率の向上だと言っています。それも、女性の識字率の向上によるものという。だから、超エリート大学に女性が入るのは少子高齢化の最終形態であるということになる。裏返して言うならば、対策としては、女性が高等教育を受けるのが嫌なような雰囲気をつくるべきだ、となります。出版界でいえば女性誌と男性誌を分けて、女性誌の知的水準を落とすなどということを組織的に行えば、少子高齢化はかなり解決するのではないかという処方箋になるわけです。気づいている人は少ないのですが、トッドはジェンダーの観点からすれば本質において差別主義的です。

いずれにせよ、いま世界は新・帝国主義の時代に入っている。そのなかで国家がなんとか生きのびようともがいている。そして新・帝国主義は、格差の拡大、派遣社員が増え、若者の就活が厳しくなり、今いる社員の給料が増えないこと、あるいは東大の秋入学など、私たちの日常生活にも大きな影響を与えていることを、理解すべきなのです。

世界が、弱肉強食の帝国主義的傾向を強めていることを冷静に認識しましょう。繰り返しになりますが、帝国主義国はまず相手国のことなど考えずに、自国の利益を一方的に主張します。相手国が怯み、国際社会も沈黙するならば、躊躇することなく自国の権益を拡大していきます。相手国が激しく反発し、国際社会からも「いくらなんでもやり過ぎだ」と顰蹙を買う場合には、帝国主義国は協調に転じます。

こうした食うか食われるかの帝国主義的外交ゲームの中で、日本が少なくとも食われないようにすることが、政治家の責務なのです。そこにしか、日本とあなたが生きのびる道はありません。

第2章　今、世界はどうなっているのか

何に怒っているのかわからない巨竜・中国

新・帝国主義時代に入った世界情勢のなかで、日本にとって一番注意しなければいけない国は、言うまでもなく中国です。

いま深刻な問題は、中国が急速に世界帝国として形成されようとしているかに見えるのに、何を目的とした世界帝国なのかわからないことだと思います。何らかの既成のパターンにはまる法則性があるのならまだしも、中国人自身もよくわからないし、観察者もわからないという状態になっている。たとえばアメリカだったら、自由と民主主義のためにとか、ドルの覇権を維持するためにとか、比較的わかりやすい。しかし中国の目的はわからない。それにもかかわらず彼らはゲームのルールを急速に変更しようとしています。日本との間でも、尖閣問題、TPPをめぐる議論、知的所有権の問題、あるいは北京大使館の移転問題にしても、一事が万事、国際社会のルールを受け入れない。

巨大な竜が突然目覚めて、尻尾を振り回しながら怒って暴れているのに、何に対して怒っているのかわからない。そういう不安定な、急速に台頭しつつある超大国が隣にあるということです。

結局、日本は中国の亜周辺なのです。亜周辺については柄谷行人氏がこう規定しています。「亜周辺は、周辺部の外にあるが、圏外ではない。つまり、亜周辺は、周辺のように中核の文明と直接していないが、疎遠なほどに離れてはいない。また、〝海洋的〟(maritime) な社会は、亜周辺の条件を満たしやすい。それは、帝国の中核と海上交易によってつながっているが、陸続きでないために直接の侵入を免れ、独自の世界を形成できたからである」「それは文明(文字・技術その他)を受け入れるにもかかわらず、中核に存在する、官僚制のような集権的制度を根本的に拒否したのである」(『世界史の構造』岩波書店、二〇一〇年)。

インドネシアやフィリピンなら「圏外」といえるほど中国から離れていますが、日本は放っておくと中国に引っ張られて、アイデンティティが崩れていく。完全に引っ張られはしないが、完全に離れることもできない。動きながら、均衡を保っていないといけないという関係にあります。しかも相手がはっきりしたゲームのルールで動いているのなら調整もしやすいけれど、相手自身、どこに行くのかわからないのだから難しい。日本と中国の間で演劇をやっているような感じです。いろいろなプレイヤーがいて、誰がシナリオライターで誰が主演で誰が観客なのかよくわからない。

「敵」をつくりだす国家

大胆に整理して言ってしまうと、中国はいまネーション・ビルディング（民族形成）をしているということだと思います。これまでの中華帝国の「漢人」とは異なる、中華人民共和国の「中国人」という民族が生まれてきている。これは中国に特殊な現象ではなく、近代化、産業化と民族形成は必ずパッケージになるものなのです。そこに、極めて成熟した、あるいは老成したナショナリズムをもつ日本が対峙させられてしまっている。

ネーション・ビルディングには、「敵」のイメージが必要になります。中国は、日本を敵のイメージとして利用しているのです。これは日本にとって迷惑なことです。たとえば中ソ対立当時も以後も、ロシアを敵のイメージにする可能性が相当ありました。ところがロシアはうまくそれを回避し、ロシア以外のところへ行くように誘導したのです。

それからアメリカが敵にされる可能性も十分ありました。一九九九年にユーゴスラビアの中国大使館をＮＡＴＯ（主力は米）軍機が誤爆した事件の直後は、中国全土で反米デモが広がり、アメリカ領事館襲撃までありました。ところがこれも収まった。初動段階のナショナリズムだから、どこを敵のイメージにするかは操作可能だったのです。

いまになって思うと、日本はこの段階で無策無能でした。自分たちは悪いことをしていないのだからと油断して、あえて対策を講じなかった。そのために敵のイメージが日本に固定されてしまったのです。だから、歴史教科書の問題が解決したと思ったら靖国問題が出て来るし、靖国が終ったと思ったら尖閣問題が出て来るし、尖閣が終ったと思ったらまた南京大虐殺が出て来るしで、きりがない。この現象は、中国のネーション・ビルディングが終るまで、つまり敵のイメージに依存しないでも中国人だという感覚が十分つくれるようになるまで、続きます。

ちなみに日本で、核武装論とかTPP反対とか歴史修正主義とか、真珠湾攻撃はアメリカの陰謀であったとかいう議論が出て来るのも、ねじれた形の反米主義、アメリカを敵のイメージにしようとする潜在的な動きです。ただ日本の場合、前の戦争で壊滅的な打撃を受けたので、アメリカと戦うと国家と民族の存亡の危機を招くという危惧が徹底的に刷り込まれているから、抑制が働くのです。しかし裏返して言うと、それだけ陰に籠っているから圧力も増大するわけで、もしも日本全体を統合するほど強大な敵のイメージが必要だとしたら反米をもってくるのがいいということにもなります。反韓国などではイメージとして弱い。その程度のナショナリズムではエリート層を動かせません。ナショナリズムは民衆の運動ではないのです。エリート層、とくに文化エリートの運動で、それがパワーエリートに波及するかどうかがカギになります。

中国の反日ナショナリズムはいま、パワーエリートのところまで達しています。その下支えになっているのは、識字率の向上だと思います。文字を読むことによって、「われわれ中国人」という意識が共有されるようになっている。文字を通じた形での支配が強くなっています。二十年前までは自分の名前は書けても新聞や雑誌を読むことは困難な農民層が圧倒的多数だった。一九九〇年以降、中国で反日が広がった背景に、実質識字率の著しい向上があると思うのです。

さらに根本的に捉えると、産業化が進んだということです。工場のマニュアルが読めないと作業ができないし、基本的な算数の訓練も、産業化に不可欠なのです。歴史的に見れば、世界で起きていることは、ほとんどヨーロッパで起きたことの反復で、産業化も中国に特殊な事情ではありません。しかし人口的、地域的に規模が非常に大きいし、インドと比べても中国は外に向かう傾向が強い。インドには独自の世界観があるので拡張志向にならないのですけれど、中国はその意味でヨーロッパに近い。世俗的であり、実利を追う文化です。

中国は新しい帝国になれるのか

それではこの中国のネーション・ビルディングがうまくできるのかというと、たぶんできない。しようとしても、まずウイグルとチベットが離反する。状況によっては回族、イスラム地域も統合が難しい。内モンゴルは、ほとんど中国に同化しているけれども、歴史の記憶が出て来るとどうなるかわかりません。

毛沢東は中国が抱える民族問題に気づいていました。資源は少数民族地域にあるが、人口は漢族の地域に集中している。中国は漢人が「中国人」になったことによって、国民統合に失敗した国家なのです。中国全体を包むような、すなわちウイグル人やチベット人も含めた新中国を建設し、新しい中国人をつくる――このネーション・ビルディングに失敗しています。それは共産党の中国になる以前の、中華民国をつくるときからの課題であり、失敗なのです。

中国は、ネーションができていない、プレモダンな国でした。それが、モダンな世界が限界に達したところに周回遅れで、いや二周遅れで来たものだから、あたかもポストモダンに対応できるように見えたわけです。先進国の知識人は、文化大革命をポストモダンとしてとらえ、近代的なネーション・ステートを超える新しい人間が生まれているのだと考えた。中国人自身も自分たちが世界の先端を行っていると思ったでしょう。しかし、それは大いなる誤解でした。

ソ連のスターリン体制もポストモダンを目指しました。民族を超克した新しいソビエト人が出現する、ソビエト国家は形態において民族的で、本質において社会主義的であるというテーゼをスターリンが唱え、それをスースロフ（ブレジネフ時代のソ連共産党イデオロギー担当書記）が現実の政策に適用しました。全く意味をなさないようなテーゼですが、ソビエト人という、民族を超えるアイデンティティが生まれるのだからポストモダン国家であり、ネーション・ステートを超えているのだと主張したのです。それで単一国家であるにもかかわらず、ソ連を構成するウクライナとベラルーシがソ連とは別に国連に加盟していた。なぜなのかよくわからない、ファジーな状態をスターリンが好んだのです。しかし実際のソ連は、前章で述べたように帝政ロシアとの連続性が強いプレモダンな帝国でした。

中国もプレモダンだと思います。中国人自身も、このまま敵のイメージを操作することによってネーション・ビルディングを進めると、国内的に軋轢を強めることはわかっているはずです。たとえばウイグルとの民族紛争はウルムチだけで起きるわけではなく、広東省韶関（シャオグアン）市の工場でも起きている。そこではウイグル人の寮と漢人の寮は別になっていて、襲撃事件が起きて、死亡事故まで発生しています。

　では中国は帝国をつくっていけるのか。帝国をつくるには、多様な民族を統合するための神話が必要になるのですが、その神話が見えない。いまのところネーション・ビルディング神話でやっている。しかしそれではいずれ限界がきます。民族問題や格差問題で、国内で流血が起きる。経済発展に支障をきたすような社会的な混乱や緊張が生じる。

　そこで中国は分裂するのか、あるいはあの広大な領域を維持するだけの新しい神話をつくりだせるのか、この先果たして共産党が変容するのか、共産党を捨てて新しいシステムが立つのか、その見通しが全然立たないのです。国家戦略であるとか、国家体制のありかたに関して、中国のエリート層は恐ろしく鈍感で、基準に達していないように見えます。

世界中で「王制」が復活する

　あるいは、中国に王制ができるかもしれない。これはカッコつきの「王制」ですが、中東を見ていても、共和制のほうが進歩的で王制は遅れているとはいえなくなってきたと思うのです。オマーンのような王制と、シリアやエジプトのような共和制と、どちらが民主的か。あるいはサウジアラビアでも、アラブ首長国連邦でも、カタールでもいい。ああいう王制の国で反乱が起きないのは、一昔前までの図式だと、弾圧が激しいのと、国民が無知蒙昧（もうまい）だからだとされたのですが、実証的に見て、それらの国には高等教育機関もあるし、リビア、シリア、エジプトのような共和制よりも、サウジやカタールの王制のほうが国民の不満を緩和することができている。

「アラブの春」「中東民主革命」と言われていますが、いま中東でトラブルが起きているのは、みんな共和国、民衆の力を使っている国です。そして中東で最も民主的な選挙をやっているのは、イランとイスラエルです。民意があの国をやっつけろと言って、その民意に反することはできないのだったら戦争を防げない。次章で述べるようにイスラエルとイランはそういう抜きさしならない状態になっています。ところが、「王」がいれば、民衆が何と言おうと王が決める、外交は王の専管事項だとすれば、問題は解決するわけです。

中国の周辺地域を見れば、カザフスタンのナザルバエフ大統領、ウズベキスタンのカリモフ大統領は王様同然です。事実上の終身大統領ですから、大統領という名の「王」と考えたほうがいいでしょう。あるいは北朝鮮の金正日、金正恩も「王」でしょう。あるいはエジプトのムバラク前大統領も、失敗したけれども、息子を後継者にしようとした。イラクのサダム・フセインも息子のウダイかクサイを後継者にしようとしていた。

王制は、名前を変えただけで、案外世界で甦りつつあるのです。スペインは一九七五年にフランコ独裁の共和制から王制に戻りました。王制という統治形態は、これからどんどん出てくるかもしれません。プーチン体制も、継承は血筋のつながらない形でやりますけれども、玉座が移って行くと考えれば一種の王制でしょう。

そもそもプラトン、アリストテレスに還らないといけないと思うのです。共和国というのはもともとラテン語のレス・プブリカ（res publica）で「民衆のもの」という意味です。民主主義国はお互いの顔が見えるくらいの狭い規模だったら統治できるけれど、大きくなり過ぎると、すぐに専門能力の低い者が増えて衆愚制になるという、プラトンとアリストテレスのつけたクエスチョンマークは、案外普遍的ではないのか。だからヒトラーもムソリーニもスターリンも王になって統治した。大統領とか首相とかいう名前は別にして、世界の主流は王、つまり権力集中の時代になっているといえます。

アメリカの大統領も、選挙で選ばれる王様です。黒人大統領、オバマの登場によって、いまアメリカでは大きな揺れが生じていると思います。これまでは「見えざる国教」があった。そしてその「見えざる国教」を支えているのは、白人プロテスタントとユダヤ教徒でした。アメリカの大統領は宣誓式やいろいろな演説で「神にかけて」とは言うけれども、「キリストに」とは言わない。キリストと言うと、キリスト教徒はいいですが、ユダヤ教徒を排除することになるからです。

アメリカで非常に有力な宗派に、ユニテリアンというものがあります。これがアメリカを読み解くときのカギになるのです。ユニテリアンにどう対処するかということは、十八世紀終わりのイギリスでも深刻な問題でした。『フランス革命の省察』（一七九〇年）を書いたエドマンド・バークが論壇で常に論じていたのはユニテリアン問題でした。ユニテリアンというのは、キリストを偉大な先生として認めるけれども、神の子とは認めないという人たちです。いわば合理主義的なのです。そうすると、限りなくユダヤ教に近くなる。この感覚がアメリカを形作っている「見えざる国教」です。アメリカの宗教社会学者のロバート・ニーリー・ベラーのいう「市民宗教（Civil Religion）」とはまさに「見えざる国教」のことです。

しかし、この「見えざる国教」によってアメリカを統合するのは、もう無理になってしまっているのです。白人の、プロテスタントかユダヤ教徒がアメリカのコアだという概念が成り立たなくなった。まずそのコアの枠がカトリックまでに広がったのが、ケネディ大統領の登場でした。それまではカトリック教徒がアメリカの大統領になるなどということは考えられなかった。そして今度はオバマの出現で、宗教だけでなく人種の枠を超えるという意味があった。

この変化、アメリカを突き動かしている動機は何かというと、国家の生存本能です。国家は、たしかに人間によってつくられているのだけれども、いったん出来上がってしまうと、構成員個々の意志とは別に、国家自体が生き残るという本能が働く。黒人大統領という「王」をアメリカ国家の生存本能が必要としたのです。

不気味すぎる中国の空母

中国へもどります。あの国は、見通しが立たない状況で、どんどん軍拡だけが進んでいる。たとえば航空母艦を持って海洋大国になろうとしています。

二〇一一年、中国はワリヤーグという名前の訓練用空母を就航させましたが、これは騙し取ってきたものです。もともとはソ連崩壊のときウクライナに継承された、つくりかけの空母です。しかし、黒海に面しているだけでほとんど陸地のウクライナには、空母をメンテナンスする技術などなく、港に放置しているうちにスクラップにするしかなくなった。ちなみに、航空母艦を五隻以上持って実戦で運用できたのは、世界で二つの国だけ。アメリカと戦前の日本です。それほど高い技術力が必要なんです。

このスクラップ寸前の空母を、ウクライナから買い取って、洋上カジノにしたいというマカオの実業家が現れました。タグボートで一年半かけて引っ張っていき、なぜかマカオではなく大連の軍港に到着すると同時に、カジノ会社は消滅。気がついてみると、中国がウクライナが切断した配線やパイプなどを復元して、空母ワリヤーグにしてしまったのです。これは試作で、二〇一三年には国産の空母、二〇二〇年には原子力空母の建造にとりかかるとみられている。

そうなれば、沖縄と奄美大島は完全に中国海軍の影響下に入ってしまいます。アメリカからすれば、中国が航空母艦から飛行機で沖縄を爆撃できるならば、海兵隊を置いておくには近すぎるので危険です。そのときは普天間基地も、沖縄県外に移設される可能性が相当に高まります。

ただし、常識で考えれば、もうすぐ第七世代の完全無人戦闘機が出てきますから、航空母艦は無用の長物になります。かつての帆船みたいなものです。無人戦闘機や無人爆撃機の時代になるというのに、なぜ航空母艦に有人飛行機を乗せて飛ばさないといけないのか。しかし当面は、中国がアジアで航空母艦を持つ唯一の国になるわけですから、とんでもない脅威を醸し出すことは間違いありません。意図がよくわからないのに、破壊能力だけはどんどんついてくる。これは不気味です。

他の国との間では一応ゲームのルールは成立しているのです。アメリカにしてもロシアにしても、韓国も北朝鮮も。北朝鮮は体制保全だけが目的です。アメリカから安全保障をとりつける、他の国、なかんずく日本から金を取る、そうすれば体制保全ができるというので、欲しいものははっきりしています。

しかし中国は何が欲しいのか、どのボタンを押せば怒るのか、どのボタンを押せば喜ぶのか、そういうゲームのルールが確立できるような状態になっていない。しかもわれわれがゲームを始めようとすると、そのこと自体によって中国が変容してしまう。ちょうどカップに入ったココアの温度を測ろうと思って温度計を入れると、温度計が冷たいためにココアの温度が変ってしまうようなものです。そういう難しさがあって、中国専門家、文化や人事など個別のことについて詳しいペキノロジーとかシノロジーの人の分析はほとんど当たらない。戦略論による分析も当たらない。中国は非常に難しい脅威、かつ分析対象です。

曖昧な帝国、イギリスに学ぶ

中国を分析するには、イギリスのインテリジェンス（情報活動）に学ぶべきです。いまでも香港に影響力をもっていますから、インテリジェンスの世界では中国に関してもイギリスが強い。そもそも一九四九年に中華人民共和国が成立したとき、イギリスはそれを早々と承認したのです。日本人は案外知りませんが、サンフランシスコ講和会議に中国代表を呼べなかったのは、アメリカは正統政権を台北の蔣介石政権とし、イギリスは北京の毛沢東政権とした、見解の相違のためだったのです。そういうイギリスのしたたかさから学ばないといけません。

イギリスにそういうことができたのは、「曖昧な帝国」だからだと思うのです。アーネスト・ゲルナーが言っていますが、イギリスはぼんやりしたまま帝国になった。そしてぼんやりと、その帝国を縮小することに成功した。

たとえばイラクは第一次大戦と第二次大戦の間の一時期、イギリスの委任統治領でしたが、イラクの部族どうしの襲撃を、イギリス当局は禁止しなかったのです。民主主義とか近代的な国家機構、治安などの導入を杓子定規に図らなかったわけです。その代り、イギリスの警察に事前に襲撃の計画を提出させて、また襲撃後、どれだけ殺してどれだけ戦利品があったかの報告を義務づけた。イギリスの統治の障害にならないように、イギリスの統制下で行われるのならば大目に見るというわけで、私的暴力による自治を認めたのです。

あるいはインドのセポイの反乱でも、イギリスと戦った藩王国に対して完全鎮圧はしなかった。相手が名誉を維持できる範囲にとどめて和平を結ぶ。すると反乱を起こした連中が、イギリスの忠実な同盟者になるのです。セポイ兵たちはイギリスが中国を植民地化する過程で活用され、第二次アヘン戦争（アロー戦争）で中国を攻めたときはイギリス軍内でイギリス兵よりもインド兵のほうが多かったほどでした。それに比べて日本の朝鮮統治などは、真面目すぎたとも言えます。

また、イギリスの植民地支配においては、定年制を導入したので、植民地にいるイギリス人は若い者だけでした。せいぜい四十代くらいまでです。だから白人にも老人がいることをアジアやアフリカの植民地の人間は知らない。エドワード・サイードの『オリエンタリズム』（一九七八年）に出てきますが、白人は常に強く、若々しいということになる。

それを国家戦略ではなく、「なんとなく」そうしていたのです。

目に見えないものが「リアル」な実念論

もう少し掘り下げて、イギリス人はなぜ「なんとなく」そういうことができたのか考えると、たぶん中世と関係していると思います。

中世から近代へ至るプロセスにおいて、イギリスは世界の中で例外的なものの考え方をする国でした。何がかというと、リアルなことに関する認識の相違なのです。リアルというのは、ラテン語の「res（もの）」からきています。ものは目に見えない。見えないけれど、確実に存在するのだという感覚をもっていたのが古代人や中世人です。それが実念論（リアリズム）です。たとえば見えないけれど「くだもの」という類がまずあり、そこから派生したのが個々のリンゴやミカンやナシやイチゴだというのが実念論です。目には見えないが「愛情」というものがあり、それが具体的な夫婦の間などに顕現するという考え方です。

今、私たちは目に見えるものがリアルだと思っていますが、実念論では、目に見えないものがリアルなのです。なぜならそれは神がつくったものだからです。

その感覚がだんだん薄れてきて、目に見えないものなどない、目の前に見える具体的な形あるものだけが「もの」で、概念というのはそれに仮の名前をつけているにすぎないと考えるようになる。リンゴやミカンはあるけれど「くだもの」は本当はないという考え方、これが唯名論です。誰かが誰かを愛しているのは個別の関係で、それを通分できる、通約できるような「愛情」というものがどこかにあるわけではない。ただ便宜的に愛とか信頼とかいっているだけだ。そのように個別的なものの因果関係をみていく、という形で近代の科学的な考えは発展してきました。「実念論」から「唯名論」へ移行するのが西欧近代の主流で、それをアジアもアフリカも受け入れて行くわけです。そういう社会では文字で具体的に書いた約束事に拘束されますから、法律が重要になります。

ところが実念論が最後まで残ったのがイングランドとボヘミアです。十四世紀のイングランドにジョン・ウィクリフの宗教改革運動が起き、十五世紀のボヘミアのヤン・フスの改革運動に飛び火したのですが、それというのもオクスフォード大学とカレル大学（チェコ・プラハ）が当時のヨーロッパで実念論を維持する孤島だったからなのです。そういう伝統が、イギリスが成文憲法をもたないことにも現れている。イギリス人が何であるかということは、文字に表すことなどできない。ただし時代状況によって必要最小限のものは文字にしないといけないというのでできたのが、大憲章（マグナカルタ）であり、権利章典であるように、具体的に何か問題に直面したときには論理化するが、論理によってすべてを説明することはできないという発想です。

中国の問題にしても、中国を動かす目に見えない何かがあると考えるのは実念論です。それに対して、あの国は個別バラバラな力の寄せ集めで、それをとりあえず中国と名付けているだけだというと、唯名論的な見方になる。通常、政治は唯名論的に見るから、目に見えるものの背後に何があるかを感じる力が弱くなっているのです。

実はわが日本もイギリスと同様のところがある国です。たとえば日本では憲法改正論議がどれだけ騒がれても、具体的な改憲の動きにならないでしょう。ところが憲法からはみ出したことも平気でやっている。それは日本人の思考が実念論的だからです。目に見えないけれど、日本的、日本人的なものが確実にある。それは紙に書かれていようといまいと関係ない暗黙の規範で、そこから外れなければおよそ何でも許される。その代り、その規範から外れたことをすると、パチンとはじき出される社会です。天皇の存在も実念論がわからないと読み解けない。

アメリカにはインテリジェンスが必要ない

山内昌之・明治大学特任教授の『中東　新秩序の形成』（NHK出版、二〇一二年）という本に、アメリカについて興味深いことが書いてあります。ブッシュ大統領はイラク戦争をやるまで、イラクにシーア派とスンニ派の両方がいるのを知らなかったというのです。「イラク戦争を始めたブッシュ大統領（当時）は、開戦直前になってようやく、イラクのアラブ人がシーア派とスンナ派に分かれている事実を知って驚いたらしい。イランとシーア派が得をすると知っていればアメリカはイラク戦争に踏み切らなかっただろうという説もあるから、それこそ驚きというほかない」。

アメリカはまさに唯名論的な国で、アメリカ人は、外国人の考えていること、その内在的論理を把握する志向もしくは能力が決定的に欠けている人たちなのです。だから、日本にとってアメリカはインテリジェンスを学ぶ先生にはなりません。

インテリジェンスという言葉は、インテレクチュアルと違って、ゴキブリについても使える。つまり、後天的に身につけた知恵だけではなく、先天的に生き残る知恵をもっていることに関しても使える言葉です。「はしっこい」というような意味にも使えます。インテリジェンスの究極目標は、国家と民族が敗れないようにすることです。ところがアメリカは最強国だから、仮にインテリジェンスを間違えても、敗れることはないのです。武力で決着をつけることができるのです。ただインテリジェンスがあったほうが、目的を遂行するうえでコストがかからないというだけのことです。

しかしイスラエルの場合はインテリジェンスの成否が国家の存亡にかかわるわけです。だからインテリジェンス大国になります。イギリスもそうで、インテリジェンスを間違えると、イギリス国家はなくなるかもしれない。いまイギリスはスコットランドの分離独立運動が本格的になって大英帝国を維持できなくなったら大変だというので、王室問題も含めて、国内インテリジェンスに力を入れていると思います。

日本はいまのところ生き残っていますから、インテリジェンスはなんとかぎりぎりのところで機能している、と言えます。日本のインテリジェンスはあちこちに分散しています。商社とか、新聞とか、学者、口利き屋とか。永田町あたりに事務所だけ構えている人とか、ニュースレターだけ出しているようなジャーナリストとか。昔の大陸浪人が形を変えたようなものでしょうが、国際基準では、ああいう人たちもインテリジェンスの世界の一部です。ジャーナリストや出版社の中にもそういう人が何人かいる。そういう人たちがインテリジェンス機能を担っているわけです。

ただ、それではもたないと長年いわれていて、そろそろ本当にもたなくなるかもしれない。ですから基礎的な教養の底上げをプロ集団の中でしなければなりません。たとえば日本の外務省の中国専門家で、ウイグル語とチベット語ができる専門家は一人もいないと思う。それから中国専門家でも四書五経が読める人はほとんどいないでしょう。簡体字でしか訓練を受けていないから古典が読めない。これは問題です。中国はマルクス主義を掲げている国で、かつムスリムもいるわけだから、トルコやイスラムがわかる専門家や、マルクス、エンゲルス、レーニン、スターリン、毛沢東あたりもわかっている人がいないといけない。そういうところがすごく遅れています。

私はこれからは世界的に実念論の時代がくる予感がします。目に見えないが確実に存在する何かによって国家を成り立たせようとする。目的論であるとか、リアルなもの（実念論でいうリアルとは目に見えないもの）とか、実体であるとか、ここ数十年くらい、古い時代の残滓であるとして、語るのもおぞましいとされてきたものが、新・帝国主義の時代においては逆にすごく力を持って行くのではないかと思います。

国家が利益を追求するその背後には、それを突き動かす目に見えないものが存在するからです。それを見据えたインテリジェンスが必要になります。

プーチン皇帝と陶片追放

二〇一二年三月四日のロシア大統領選挙の第一回投票でプーチンが六三・六〇パーセントの得票率で当選しました。これはプーチン・スタイルの圧倒的勝利です。地方議会選挙は別として、ロシアではいま直接選挙で誰かを選び出すというのは、大統領選しかない。国会は比例代表になっているし、知事も任命制になっている。だからこれは国家の長を選び出す唯一の民主的な手続きなのです。

しかし、西欧や日本ではピンとこない人が多い。あんなに反プーチンのデモが起きていたのになぜ当選するのか。票の操作が行われているのではないか。あるいは強権的な体制で、選挙に行かないと何か不利益があるので投票を強制されているのではないかという見方をする。しかしそれは本質からはずれた見方です。目に見えないもの、実念論的に考えないと本質はわからない。ロシア人の国家観、民主主義観、選挙観の根本が欧米とは違います。ロシアの政治観は根源的にいうとロシアの建国神話と関係していると思います。

各国の建国神話は、政治文化を形成する上で非常に重要です。ロシアの建国神話では、政治を行う者は暴力をふるったりして悪が多いので、自分たちの仲間を指導者にするわけにはいかない、だからスカンジナビアから王様を戴いてきた、ということになっています。

これはロシアだけではなく、チェコなども共通で、スラブ系の民族は、自分たちは本質において暴力が嫌いだから、他者を暴力で抑圧するよりは、抑圧されるほうを望むという神話を用いたがる傾向があります。スラブは英語ではslaveで、奴隷だけれども、ロシア語やチェコ語ではスラーバで、栄光というような意味です。同じような響きの音でも意味が全然違います。

ロシア人は、選挙は自分たちの代表を送り出す制度だとは思っていないのです。私がロシア人にいわれたのは、「民主主義の起源は古代ギリシャのオストラキスモス＝陶片追放だ」ということです。オストラキスモスは僭主（独裁者）になる可能性のある人間の名を陶片、瀬戸物のかけらに書かせて、六千票集まった場合は十年間の国外追放にするというものでした。つまり民主主義の起源は、良き者を選ぶというより、悪しき者を排除することなのです。

そもそも政治は普通の国民には関係なくて、候補者は自分たちの代表ではなく、上から降ってくるものだ。政治は本質的に悪いものだから、良い政治家なんていうのはいない。悪い政治家と、うんと悪い政治家と、とんでもない政治家、これが選択肢として降ってくるだけだ。ソ連時代はとんでもない政治家やうんと悪い政治家でも拒否する仕組みがなかった。ソ連時代の選挙では、投票率が九九パーセントを超えました。数字だけ見れば、世界で最も民主的な国でした。風邪をひいて家で寝込んでいても、投票箱のほうが家に来て、投票させられます。

投票所に行くと、入口のすぐ脇に選挙管理委員がいて、投票用紙を渡す。それには候補者の名前が刷ってある。それを横の投票箱にそのまま投票すれば賛成票になるのです。かなり離れたところにボックスがあって、カーテンがひいてあるから、その中に入ってバツをつけることもできます。しかし選挙管理委員の中には秘密警察がいるわけです。そこで、カーテンがあるブースまで行ってバツをつける勇気のある人間は、あまりいない。それでも一パーセントくらいは不信任票が出ましたから、勇気のある人が百人に一人くらいいたのです。日本でそういう体制になったら百人に一人もいるかというと、非常に疑わしいと思います。

選挙会場には屋台を設えて、普段売っていないようなものを売り出す。コンデンスミルクとか、ココアとか、コーヒーとか。子供には飴やチョコレートを無料で配る。だから子供たちも選挙に行こうと親にせがむ。こういうふうに選挙をやっていたわけです。

ソ連体制が終り、民主主義体制になって、いまはきちんとした選挙をします。候補者の名前が並べてあって、そのうちから選ぶ人間のところに印をつけるというやり方です。これで、うんと悪い政治家ととんでもない政治家を排除するメカニズムができた。つまり陶片追放ができるようになった。こういう感覚です。

ロシアの民主主義についてはこういうこともあります。ロシアの国会議員は下院で四百五十人いる。一九九三年十二月にこの選挙が最初に行われた時は、二百二十五人が小選挙区、二百二十五人が比例区だった。ところが国民から、小選挙区はやめてくれという声がすごく強くなった。どうしてかというと、ソ連時代に政治弾圧が激しかったせいもあり、いまのロシアでは国会議員の身分保障が非常に強い。殺人の現行犯でもない限りは捕まらないくらいの強い身分保障です。そうすると、その身分保障に魅力を感じる人たちがいる。マフィアです。マフィアの連中が、ありとあらゆる暴力を行使したり、利益誘導をしたりして、小選挙区から立候補して、マフィアの国会議員が非常に多くなったのです。それで怖くてしようがないから小選挙区はやめてほしいという国民の声が強くなった。そして二〇〇七年から小選挙区制が全廃され、比例区だけになりました。通常の民主主義国家だったらあり得ないような代表観なのです。

とんでもない対立候補たち

具体的に大統領選でプーチンに対抗した他の候補を検討してみると、まず得票率一七・一八パーセントで二位のジュガーノフ共産党議長。これはスターリンを尊敬し、ロシアをスターリンのソビエト体制に戻したいなどと公然と語っている人です。圧倒的多数の国民は、やはりスターリン主義がまた来るのは嫌います。

三位のプロホロフが七・九八パーセント。これは大金持ちで、金持ちのためのロシアをというのがスローガンで、税のフラット化とか、どう見ても金持ちだけを優遇する政策を打ち出し、新自由主義を断固推進し、市場原理ですべての問題は解決するという。普通のロシア人から見たら、この人に任せたら状況がますます悪化すると思える。

四位がジリノフスキー自由民主党党首で六・二二パーセント。これは常にポピュリズムを活用し、日本が北方領土を要求するならば原爆を落としてやると発言して伸びてきた。そういうエキセントリックな主張をするのだけれども、最終局面においては常に当局と手を握る。彼がまず舞台に出て来たのは、一九九三年十二月の選挙です。

十月に反エリツィン派の反乱があって、エリツィンがホワイトハウス（ロシア最高会議ビル）に大砲を撃ちこんで勝ったあとで、憲法に関する国民投票があった。極度に大統領に権力が集中する憲法案で、共産党も、民主的な政党であるヤブリンスキー・ブロック（現在は社会団体ヤブロコ）なども反対したのです。それに対してジリノフスキーが、いい憲法じゃないか、俺が大統領になったら俺に権力が集中するんだから賛成だと言って、それでエリツィンに強権を与え、さらにプーチンによって強化されることになる憲法ができたわけです。つまりジリノフスキーは最初から権力の補完システムなのです。

かつて、私が非常に尊敬しているブルブリスという、ソ連崩壊の立役者（エリツィン政権初期の国務長官）だった人に、なぜジリノフスキーのような存在を許容しているのかと聞きましたら、こう言っていました。どの国にも、マルクスが規定するルンペン・プロレタリアートがいる。階級として組織されず、常に不満を持って、破壊行為などをする。こういう連中は、基本的に選挙に行かない。しかしジリノフスキーが出て来ることによって、選挙に行くようになるのだ、と。

しかもジリノフスキーの場合は、彼一人と取引すれば、彼の党の者は国会でも右へならえして全員同じ票を入れる。だから国会対策がやりやすくなります。混乱期においては、ルンペン・プロレタリアート的なグループを組織化できる人間はきわめて重要なのです。ジリノフスキー自身は実は大変なインテリですから、自分の生きる場所はそこにしかないのがわかっているのでしょう。

　ちょっと話がそれますが、かつての鈴木宗男さんが官僚を怒鳴っていたのも同じです。もし彼が東京大学卒業、あるいは官僚出身、あるいは政治家二世だったら、べつに怒鳴る必要はなかった。地盤、看板もない身で自分の意志を実行するためには、エキセントリックなことをしないといけないのです。だから大きな声で官僚を怒鳴りつけるという手段で政策に自分の影響力を反映させる。これはジリノフスキーと同じ構造です。二人ともきわめて合理的な行動をとっているわけです。

　それからもう一人、この大統領選で三・八五パーセントの最下位で日本では全然注目されなかった候補にミローノフという人がいます。これは実は与党の元党首なのです。「公正ロシア」という政党で、綱領は共産党とほぼ同じです。ところが唯一違うのは、メドベージェフとプーチンの名指しの批判は一切しない。そして最後の段階で政府を支持する。

　要するにジリノフスキーの自由民主党がルンペン・プロレタリアート層を吸い上げる役割を果たすとすれば、公正ロシアは共産党支持者を分裂させる役割を果たすのです。しかも党名Spravedlivaya Rossiyaのロシア語の略称がＣＰ（エスエル）で、これはかつてロシア革命をボリシェビキ（後の共産党）と一緒にやった社会革命党のロシア語の略称、Ｃ

P（エスエル）と同じになるわけです。この響きはなかなか過激そうで、かつ伝統的な社会主義、日本でいえば右翼のような雰囲気を醸し出しているのです。しかし最終的には政府に協力する。

このへんもいまの鈴木宗男さんに似ています。「新党大地・真民主」は、TPPに反対だし、税と社会保障の一体改革に関して、いま消費税を上げるのは反対だと、民主党の小沢グループと同じようなことを言っています。

ところが、平成二十四年度予算案の投票を見てください。なんやかんや言っても、ここは政権を支持しておこうじゃないかと、鈴木氏は決めた。そうしたら、民主党から除籍になった松木謙公氏が白票、要するに賛成票を入れているわけです。石川知裕氏もそう。小沢氏の最側近で民主党を離党した「新党きづな」が予算に反対したのに対して、新党大地・真民主は賛成している。その機能を第三者的に見ると、小沢グループの影響を減じているわけです。ミローノフと同じ機能を果たしています。鈴木宗男氏にロシア情勢を話していたら、公正ロシアに非常に関心を持ち、ロシアに行って公正ロシアと兄弟党として交流を持つことを検討しています。

ロシアに話を戻しますと、ミローノフの機能はロシア国民に見抜かれている。それでは国民の支持を得られない。ロシア国民は結局、消極的選択としてプーチンを選んでいるのです。プーチン自身も、それがわかっている。

もちろんプーチンに反発する人たちはいます。しかしその人たちは、エリツィン政権初期に活躍した民主改革派の人たちと、若い学生とか、あまり世の中のことを知らない中産階級の子弟たちです。言ってみれば、文句を言う余裕がある人たちです。また、この勢力にアメリカやヨーロッパのＮＧＯが民主化支援の名目で結構、資金を出しています。その後ろにはアメリカ国務省なり、ＣＩＡなり、各国の情報機関があるわけです。そして彼らは、国民の五パーセントの支持も取れない。不正選挙だのなんだの言うけれど、実際問題として彼らの主張するような大規模な不正はないのです。せいぜい、日本でもある替え玉投票くらいのものです。

しかもプーチンの恐ろしいところは、不正選挙の話が大きくなると、その防止を大義名分に全投票所にカメラをつけてしまったことです。そのカメラで、投票用紙に何を書いているか、どこに印をつけているかまで見える。それを誰でも、外国人でも、メールアドレスさえ登録すれば見られる。つまり、個人の投票行動を当局が全部監視できるような選挙を今回したわけです。そのことを誰も問題にしていないけれど、実は秘密投票が保障されなくなっている。選挙が不正だと皆さんが言うからこうしたのですよ、と理由づけしてやってしまった。

ロシアの「大政翼賛会」

それからこの大統領選でもう一つ注目すべきは、謎の組織が動いていることです。その組織の名は社会院（オプシェーストヴェンナヤ・パラータ）といいます。

選挙の十日くらい前に、サンクトペテルブルクの旧い友人、サーシャから電話がありました。実はＮＨＫ解説委員の石川一洋さんが、ロシアに金持ちの共産党員がいるというのでサンクトペテルブルクへ取材に行った。マルクスの肖像の下で葉巻を吸うようなシガークラブに連れて行かれ、そこでアレクサンドル・カザコフという人に「マサルを知らないか」と声をかけられたというのです。その人物こそ私が『自壊する帝国』（新潮文庫）で書いた親友サーシャだったのです。石川さんから連絡を受けて私は十年ぶりにサーシャと話すことになりました。

サーシャはソ連崩壊の立役者として頑張っていた若いインテリなのですが、故郷ラトビアにできた国家が民族排外主義で、ロシア人を二級市民として教育の権利などを制約しているのはおかしいと、異議申し立て運動を始めた。そうしたら国家反逆罪で、二〇〇四年にラトビアの国籍を奪われて国外追放になった。そこでモスクワに戻って、当時大統領府の副長官をやっていたスルコフ（現副首相）という保安派の政治家のところで働き始め、いまはプーチンのイデオロギーづくりに携わっています。

彼は社会院で仕事をすると同時に、ロシア環境委員会のボードに入っている。二〇〇六年にサハリンの石油ガス開発で、「ヴェニスの商人」みたいなことをプーチンが言いました。肉は切ってもいいが血は流してはいけないというような話で、日本とブリティッシュ・ペトロリアム（BP）などが出資していたサハリン2というプロジェクトに関して、「開発は認めたが環境破壊は認めていない」と契約を停止して、結局、日英の出資企業からガスプロムというロシアの国営会社に株式の五〇パーセントプラス一株を譲らせることで手を打った。それを考えだしたのが実はロシア環境委員会の専門家たちだったというのです。

プーチン政権の、保守思想を中心とした形での広域帝国主義（ユーラシア帝国主義）を作るべきだというイデオロギーを構想したのもサーシャたちでした。私がプーチンのイデオロギーをよく理解できたのも、長く付き合った友達がつくったものだから、ある意味で当然のことでした。

サーシャに、「今回の選挙のポイントは社会院だ」と言われて、調べてみました。これは二〇〇五年四月四日付の「ロシア連邦社会院に関する法律」によって設立された組織で、大統領に任命された四十二人の委員がいるのですが、何をやっているのかよくわからない。環境政策と環境保全に関する委員会、民族問題と信教の自由に関する委員会、軍人・退役軍人と軍人家族の問題に関する委員会、経済成長と企業支援に関する委員会など十五の委員会があって、国家院（下院）のすぐ横に、下院と同じくらいの施設とスタッフを持っているのです。大統領選の不正に関する通報を受け付ける窓口も社会院です。しかし予算規模も透明ではない。市民、社会団体、国家機関（中央政府と地方行政府）の利益を調整するための機関で、自発的にロシアを良くしたいと思う人たちの集まり。こういうことしかわからない。

要するに社会院とは、大政翼賛会なのです。メディア代表も入っていますが、責任主体がはっきりしない。これが大統領選挙の母体になった。

どうしてそうなったかというと、前回の国家院選挙では与党「統一ロシア」が中心に動いたけれど、党首はプーチンで、選挙結果がよくなかったので、党首に責任が及んだ。これは失敗だった。社会院でやれば、世論の反発があったりしても、誰も責任を追及されない。そして軌道修正したものを政府の政策にする。こういうお化けみたいな組織を作ってしまったのです。その幹部はみんなプーチン選対をやっている。ここが民間企業に協賛金を出せというと、みんな怖いから出します。サーシャは他にもナッシュという青年組織、ときどき愚連隊みたいにデモを組織する、プーチン親衛隊のような組織の責任者もしていて、そのイデオロギーも作っているのです。

プーチン・ロシアは「帝政」を目指す

次期プーチン政権は何をするのかとサーシャに聞いたら、「これから憲法改正だ。ただし旧ソ連に戻すなどという見方は間違えている。帝政に戻すのだ」という。帝政でなければ生き残れない。これからは国家イデオロギーの時代だ、というのです。

これも新・帝国主義の時代をふまえてのことでしょう。プーチンが二〇〇七年四月二十六日の大統領年次教書演説で、「大統領職を退いた後は古(いにしえ)からのロシアの楽しみである民族理念の探求に従事したい」と述べていました。まさにそのことです。

サーシャがベースにしているのは、イワン・イリインの思想です。『神人の具体性に関する言説としてのヘーゲル哲学』という本があります。一九一八年にロシア革命が起きた後、修士論文としてイリインが提出したもので、これはすごいと評価されてすぐ博士号を与えられた。レーニンが、最も危険な思想家だと思うと同時に最も尊敬もしたのがイリインで、秘密警察がイリインを捕まえていると聞いてすぐ釈放させた。そのことを中沢新一が『はじまりのレーニン』（岩波現代文庫）で書いています。

イリインは一九二二年にソ連から追放されましたが、一種のロシア・ファシズムの提唱者なのです。本家ファシズム国家としてのイタリアの負の遺産を全部学び直して、知的なレベルの高いファッショ国家としてロシアを再編していくことを考えていた。それには、やはり天皇のような存在が必要になる。

そこでサーシャたちが構想しているのはプーチンを「皇帝」にしようという計画です。プーチン皇帝が幸せなら国民も幸せで、周辺諸国の人たちも幸せだというイデオロギーを作る。言いかえればロシアの国体を作るということです。

イリインの本は、日本では一つも翻訳が出ていない。ものすごく難しいから、翻訳できるロシア語力のある人はほとんどいないと思います。ヘーゲルのポイントは、真理は具体的であるということで、抽象的な真理について問うているのではないと論じます。ロシア人は一見抽象的な議論から新しいことを見つけて行くのが得意です。イリインは「ロシア人」というのは元からそのまま存在するものではなく、生成していくものだという考え方をします。これはムソリーニのイタリア人理解と近いものです。

ムソリーニのファシズムは、イタリア人はこうであるという静的な概念ではなくて、常に戦闘精神で動員して、イタリア人になっていくのだというものでした。イタリアはそもそも十九世紀にカルボナリ（炭焼）党なんかがあったころまでは分裂した国で、それを統合するには、常に「イタリア人」を生成していくというイタリア統一運動をやらないといけなかった。

イリインが言うのも、ロシア人になっていこうとする運動です。ロシアのために、ロシア人として団結するのだという意欲が人々になくなったら、国家は内側から壊れる。みんながそれぞれの場で一所懸命やる。農民ならいい芋を作る。一所懸命やるのがロシア人で、その手助けをしてやるのが皇帝の仕事だという。だから大きな家産国家の理念です。血はつながっていなくても本当の家族だ。家族である証しは、家族のために一所懸命具体的に行動することだ。行動できない弱い人、年老いた人、障害のある人は守ってやるのが当たり前だ。金持ちは利益を再分配しろ。労働者は働け。ストライキは駄目だ。常に戦闘精神を持て。人生は戦いであり、国家も戦いに備える。こういう発想です。

それから、イスラムとかキリスト教とか、あるいは資本主義とか、それ自体が良い、悪いということではなく、良い資本主義と悪い資本主義、良いイスラム、良いキリスト教と悪いキリスト教があるという二分法をとります。悪いイスラムはアルカイダみたいなワッハーブ派、ハンバリ派。悪いキリスト教はカトリシズムで、正教とプロテスタンティズムはいい。

要するにロシア土着のもの、帝政ロシア時代からあるものは全部いいもの。逆に、外来のものは悪いもので、ロシアには決して根付かない。根本は保守で、理屈を超えるものとしての大地と伝統に根ざす。ロシア人は大地から生まれたのだから、土地に帰り、自然を大切にする。ロシアはヨーロッパとアジアにまたがっている独自の空間であって、独自の発展法則があり、独自の掟によって支配されているという考えです。

そしてそこはロシア正教とスラブ人だけの世界ではなくて、ムスリム的なトルコ（チュルク）、イラン（ファルシー）、さらにアニミズム的なモンゴル系を全部合わせた、サラダボウルのようなところだという。この空間は大きくなったり、小さくなったり、伸び縮みする。自分がユーラシア人、すなわちロシア人だという自己意識を持ち、かつ行動する人たちがロシア人であるという発想です。生成の中の自分たちはリレーのバトンを握っている。祖先から引き継いだロシアを子孫に伝えることが責務である。そのロシアがどうなっていくのかは、ロシア人自身が決めるのだという。

つまり、言葉の正しい意味での「全体主義」なのです。ロシアは全体なのです。個々の人間が集まってできたロシアではなくて、ロシアという全体があって、その有機体の中にいろいろなパーツがあるという発想です。また、世界に全体というのは複数あるわけです。ロシアという全体があれば、ヨーロッパという全体もあり、日本という全体もあり、アメリカという全体もあって、そういう複数の全体が大きくなったり小さくなったりして、切磋琢磨しながら世界が成り立っていくという。構成としてはライプニッツのモナドロジー(単子論)です。

ユーラシア同盟構想と大東亜共栄圏

プーチンの提唱するユーラシア同盟構想は、大東亜共栄圏の思想が二十一世紀のロシアに甦ってきている感じがあります。これは帝国主義と馴染みはいい。ただし帝国主義には経済の論理と国家の論理のふたつがありますが、これは国家の論理のウェイトの高い帝国主義です。前に述べた国家独占資本主義と非常に近いと言ったほうがいい。資本主義が、社会主義革命を阻止するために福祉政策や労働政策をやる。それは個別資本にとってはマイナスになるが、総資本、体制総体にとってはプラスになるという考え方です。

この「プーチン皇帝」のロシア帝国の範囲は、中央ウクライナまでは入る。その先の西ウクライナとかバルト諸国はバッファ（緩衝地帯）です。トランスコーカサス（グルジア、アルメニア、アゼルバイジャン）もバッファ。北コーカサスはロシア領。カザフスタンまではロシア領という考えです。中央アジアという場合、ロシア語で二つの表現があるのです。ツェントラーリナヤ・アジア（Central Asia）というと、カザフスタンとキルギス、ウズベキスタン、トルクメニスタン、タジキスタンを指す。もう一つのスレードニャヤ・アジア（Middle Asia）というと、カザフスタンが入らない。昔のソ連においては「中央アジアとカザフスタン」と言っていて、カザフスタンは中央アジアに入っていなかった。このMiddle Asiaは緩衝地帯です。カザフスタンは潜在的なロシア領になります。

ユーラシア同盟構想は重層的な構造になっていて、まずハートランドであるところのロシア。次にロシアの植民地域。さらにその外側に、ロシアの統治は直接及ばないけれども、何かあったときにはロシアが移動してそこへ行くことができるバッファ地域があるのです。

大日本帝国の場合も、本土というハートランドがあり、次に植民地である台湾や朝鮮があり、さらにその外側に満州、中国がバッファとして存在するのが本来のあり方だった。しかし植民地を拡大しすぎた。満州をバッファ、日本が優越権をもっている中間地帯としておけば帝国を維持できたでしょう。プーチンのロシアはそのような同心円型の帝国を維持しようとしているのです。

その場合、民族は関係ない。皇帝に従うかどうかだけが問題だから、民衆は市民から臣民に転換していくということです。それがロシアを強化するために必要であるという。これはいまが新・帝国主義の時代であることをかなり意識的に考えてやっていることです。そうすると「お雇い外国人」などがどんどん入ってくるようになります。どこから来た者であっても、権力の中心に忠誠を誓えばいいわけですから。そのように新しい帝国空間をつくりたいとサーシャたちは考えているようです。

北方領土問題で「はじめ！」

意外に思うかもしれませんが、ロシアにおいて、日本の野田政権の評判はうなぎのぼりです。そのきっかけが、二〇一二年三月一日の若宮啓文・朝日新聞主筆のプーチン・インタビューにあったのは間違いありません。

　大統領選挙の三日前、プーチンは西側主要国（日英独仏加伊）の記者と会見し、日本からは若宮氏が参加しました。そのなかで北方領土問題に関して、若宮氏は「日本側は、五六年に約束された二島（歯舞、色丹）では問題解決に不十分であると常に述べている。共同の宣言（一九九三年の東京宣言）は、われわれが四島の問題を解決しなくてはならないと規定している。双方が問題の検討を終えようと望むならば、双方がお互いに対して妥協しなくてはならないということに、私も賛成する」と切り出した。

　するとプーチンが「われわれは受け入れ可能な妥協を達成しなければならない。それは〈引き分け〉（日本語で）のようなものだ」と語った。柔道家であるプーチンは、日本語で「引き分け」と言ったわけです。さらに若宮氏が「われわれが〈引き分け〉を望むならば、二島では不十分だ」と切り返すと、プーチンはそれを受けて、

「あなたは外務省で働いているのではない。そして私もまだ大統領ではない。だからこうしようではないか。私が大統領になったら、われわれは一方にわが外務省を招集し、他方に日本外務省を位置につかせ、そして彼らに、〈はじめ！〉（日本語で）と号令をかけようではないか」とまたも日本語をつかって語った。これは明らかに、二島プラスアルファの

話に踏み込んだのです。

この若宮インタビューについて、官邸と民主党政策調査会は、外務省より対応が早かった。三月二日の閣議前に、斎藤勁官房副長官が玄葉光一郎外相に、「昨日の若宮インタビューでプーチンがだいぶん前向きに手を動かすと言った話が入っています、これにうまく反応したほうがいいです」と話した。その後、藤村修官房長官にも話し、野田総理にもサシで伝えた。前原誠司政調会長も二日の朝に独自のルートから情報を得ていた。そのインタビューを至急訳してくれという依頼が私にあったので、午前中に訳しました。それを読んで官邸は、プーチンに祝電を打って、電話会談をやろうと外務省の意見を聞く前に決めてしまったのです。

外務省のほうは、二〇一〇年十一月一日のメドベージェフ大統領の北方領土上陸はない、と誤った情報をあげたときと同じ失敗を繰り返しました。あのときは、APECの二週間前にメドベージェフが行くはずはないという固定観念にしばられ、全くアラート態勢が効いていなかった。行くという情報はモスクワから散々入って来るし、ユジノサハリンスクには大統領専用機が停まっているにもかかわらず、ないと判断した。今回も、大統領選挙の三日前にプーチンが北方領土について踏み込んだ発言をするはずがないという偏見にこり固まっていた。私の聞くところによると、事前に岡野正敬ロシア課長が若宮氏に領土問題については慎重にしてくださいと要請し、若宮氏が突っ込んだ質問をしないと思っていたようです。

私は朝日新聞から相談を受け、プーチンにこういう質問をしたほうがいいと助言していました。事務次官会議の後で、官邸のある幹部が外務省の佐々江賢一郎事務次官にプーチン・インタビューの情報を伝えると、「初めて聞きました」とびっくり。外務省が一時間後にようやく情報を入手しましたと官邸に持って来たのが朝日新聞の早刷り。元のデータを持って来られなかったのです。その後持って来たデータも、誤訳だらけ。私は依頼されて誤訳を直しました。三回にわたり私のところにロシア語版が届けられましたが、二度目までは公式のものではなく、メモを訳しました。最後に欽定版、つまりロシア政府のホームページに発表された文章で確認したのです。外務省による翻訳は全然間に合わない。しかも欽定版をテキストにしているのに誤訳がある。外務省のロシア語の力が基準に達しないほどまで落ちているわけです。

こうした状況で、官邸と民主党政策調査会が連絡を取りながら、大統領選勝利のお祝いだけでなく、領土問題においては日本の原則的立場を崩せないということも言ったほうがいいと決断して、祝電を送ると同時に、野田総理がプーチンと電話で話したいと申し出た。もしこれを官邸ではなく外務省主導でやっていたら、時期はもっと遅れたはずです。というのは、アメリカがロシア大統領選挙に不正があるとクレームをつけていたからです。しかしその前に、官邸内で態勢を組み立てて電話した。

その結果驚くべきことに野田首相は、中国より一日早くプーチンと話すことになった。私が調べたところでは、友好国であるCIS（独立国家共同体）の三国に電話した後、野田と話したいとプーチン自身が言ったといいます。

プーチン・インタビュー全文を読んでいた野田総理が、「はじめ！」と日本語で言ったら、プーチンが大笑い。野田総理は改めて「当選おめでとうございます」と伝えて、ほんの五分くらいの電話でしたが、新しい日露関係はいいスタートを切りました。

プーチン・インタビューを私は評価します。過去十年間の日露間の停滞を埋める役割をした。最初、若宮氏の側からは領土問題に触れないでいたら、プーチンのほうから、「あなたは礼儀正しくやったね、それでは北方領土について私のほうから言いましょう」と始まったのですから。私が見るところでは、プーチンは若宮氏の父親の存在を意識しています。若宮氏の父、若宮小太郎も朝日新聞の政治記者で、鳩山一郎の政務担当秘書に転じています。日ソの五六年宣言のプロセスを知悉していて本も書いています。その息子だから、北方領土問題を理解できる人間だと見たのでしょう。

新・帝国主義的な野田政権

プーチンの狙いははっきりしていて、ロシアが北方領土で大幅譲歩をしたら日本はそこに食いついてほしいと思っているのです。

野田政権はイランに関してもあっという間に立場を変えたし、少なくとも外交では新・帝国主義の時代にマッチした方策をとっているように見えます。そして野田総理は中国に対する牽制を相当考えているから、取引ができるのではないかと見ている。野田政権は北方領土問題について、東京宣言至上主義を、すでに一月二十八日の日露外相会談で取り下げています。玄葉外相が「四島の日本帰属が日本の立場だ」とはっきり主張すると同時に、北方領土の「ロシアによる不法占拠」論を言わなくなった。日本は北方領土問題について本気で交渉するつもりだなとプーチンはおそらく思ったでしょう。

一部の学者や民間人――私は北方領土ビジネスの人たちと呼んでいるのですが――たとえば袴田茂樹青山学院大学教授などは、若宮インタビューについて「(プーチンは)『日本とソ連との間には、領土に関して（歯舞、色丹以外の）他の諸要求は存在しないということだ』と断言した」「『二島引き渡し』後も、主権はロシアが保持する可能性を示唆している」（公益財団法人日本国際フォーラム政策掲示板「百花斉放」への三月五日の投稿）と、プーチンがあたかもゼロ島返還論であるかのごとくプロパガンダを行なっていますが、外交のプロからすれば全くの間違いです。

五六年宣言を読んでみれば、「日本国の要望にこたえかつ日本国の利益を考慮して、歯舞群島及び色丹島を日本国に引き渡すことに同意する。ただし、これらの諸島は、日本国とソヴィエト社会主義共和国連邦との間の平和条約が締結された後に現実に引き渡されるものとする」となっている。ここでの引き渡しという言葉を、日本側は「ロシアによって不法占拠されていた島が返還された」と、ロシア側は「ロシア領を日本に贈与した」と解釈する。そして解釈の差異についてはあえて詰めないというのが五六年宣言の知恵です。国後、択捉についてはどちらの下にあるかについて交渉を行なう。つまり二島プラスアルファです。そのプラスアルファで何をどこまでとれるかは、日本の交渉力次第です。

国際社会は力と力の均衡で成り立っています。その力には知力もふくまれるのですから、日本の中でしか通らないような理屈や、論理が明らかに破綻しているようなことは、外交では言わないほうがいい。ことに、国益と国益が直にぶつかり合う新・帝国主義の時代においてはそうです。北方領土での「不法占拠論」がそのいい例なのです。北方四島はロシアによって不法占拠されているのだというのは日本側の法的な評価の話です。しかしそれを主張すると、ロシアから必ず異論が出る。

とくに面倒なのが、サンフランシスコ講和条約二条C項の解釈です。ここで日本は南樺太と千島列島を放棄している。講和条約の受諾演説で、千島列島には北千島とともに国後、択捉からなる南千島が含まれると当時の吉田茂全権は言っている。さらに国会で、高倉定助という農民協同党の衆院議員が、サンフランシスコ平和条約でいうところの千島列島の範囲について、政府はどう認識しているかと聞くわけです。吉田首相は、「多分、米国政府としては日本政府の主張を入れて、いわゆる千島列島なるものの範囲もきめておろうと思います」と答弁した後、具体的な範囲については条約局長に説明させますと言って、西村熊雄という条約局長が、「千島列島の範囲については、北千島と南千島の両者を含むと考えております。しかし南千島と北千島は、歴史的に見てまったくその立場が違うことは、すでに全権がサンフランシスコ会議の演説において明らかにされた通りでございます。（略）なお歯舞と色丹島が千島に含まれないことは、アメリカ外務当局も明言されました」

と答えているのです。国後島と択捉島は千島に含まれているとはっきり言っているわけです。これは議事録にも残っています。

しかし一九五六年になって、アメリカのダレス国務長官に重光葵外相がロンドンで呼び出され、もし二島返還でソ連と平和条約を締結することがあれば、アメリカは沖縄を日本に絶対返さないと恫喝された。日本とソ連に仲良くしてほしくないアメリカが、立場を変えたわけです。その結果、日本も方針を変えたのです。

日本政府がやるプロパガンダはだいたい失敗するのですが、北方領土に関しては非常にうまくいって、日本政府が弱い点を隠してつくった「不法占拠論」が、一種の神話のように、冷戦下において真理として国民に定着してしまったわけです。しかし、プロフェッショナルの外交の世界では、日本の認識としてはわかるが、サンフランシスコ平和条約でこう言っているのはどうなのかと問われると、日本は苦しい立場に追い込まれる。いやソ連はサンフランシスコ平和条約にサインしていませんと返すけれど、では一九九二年九月に日露両国で発表した資料集に、千島の範囲に関しては西村条約局長答弁があると書いてあるがこれはどうなのか。こういうふうに突っ込まれてきたら、国際法的な立場として、国後と択捉の領有権の主張は弱いのです。それは認めなければいけない。認めた上で、どうやって取り返すかを考えるのが外交です。「不法占拠論」で押していっても、北方領土はかえってきません。

二島返還論のウソと鈴木宗男バッシング

その点、二〇一二年一月二十八日の日露外相会談は画期的でした。玄葉外相が、北方四島が日本領であるというのが「わが国の立場だ」と言いました。これはよく言ったと思う。「立場」というのが重要です。これまで日本政府は、一九九三年十月の細川首相とエリツィン大統領による東京宣言を引用して、「四島の帰属に関する問題を解決して、平和条約を締結する」のが日本政府の立場だと主張してきました。これは「立場」ではなくて、ロシア政府との「合意」事項です。

ここで冷静によく考えてみてください。「四島の帰属問題の解決」との文面からは、理論的には五通りの「解決」が考えられる。すなわち①日本四島・ロシアゼロ島、②日本三島・ロシア一島、③日本二島・ロシア二島、④日本一島・ロシア三島、⑤日本ゼロ島・ロシア四島の五通りです。その五通りのなかから両国が話し合って合意したもので平和条約を締結するというのが東京宣言です。四島の帰属に関する問題を解決しようという土俵だけが定められた東京宣言をもって、あたかも北方領土の日本への帰属を確認しているがごとき誇大宣伝をしてきたのが、外務省と北方領土ビジネスの人々による、東京宣言至上主義です。

十年前に鈴木宗男氏が失脚しました。そのとき、宗男氏は二島プラスアルファか、二島返還論の売国奴とレッテルを貼られ、それに対して外務省は四島返還論だと喧伝されたわけですが、東京宣言をもって四島返還の合意と主張するのは、グローバルスタンダードでは通用しない話です。東京宣言はあくまでも四島の帰属に関する問題の解決というだけで、四島返還が担保されたわけではないのです。だからプーチンにからかわれた。そんなに東京宣言が好きだったら、日本ゼロ・ロシア四島で平和条約を作りませんか、と。

外交文書で何かの合意をするときには、双方の均衡点でつくりますから、片方だけの主張が一方的に盛り込まれることは絶対にないのです。では東京宣言で日本が譲歩した点は何かというと、歯舞群島、色丹島を係争地にしたことです。

一九五六年十月の日ソ共同宣言、これは宣言という名前ですけれども、両国の国会による批准を経ているので、国際法的な拘束力を持つ条約です。この九項で、平和条約締結後の歯舞群島、色丹島の引き渡しについて日ソ両国は合意しているのです。日本の立場からすると、平和条約をつくることに合意すれば、歯舞群島と色丹島は自動的に日本に還って来るわけです。それなのになぜあのとき平和条約を締結しなかったかというと、国後島と択捉島の帰属の問題に関し、日ソ両国の立場が一致しなかった。だから、一九九三年東京宣言においては、一九五六年宣言九項を履行するとともに、国後島と択捉島の帰属に関する問題を解決し、平和条約を締結する、と持って行くのが日本の狙いだったのだけれども、東京宣言は日本への引き渡しが明白になっている歯舞群島と色丹島があたかも係争地であるかのような形での譲歩をしているわけです。この譲歩があるから、逆にロシアは国後島と択捉島を係争地とすることを認めたのです。

東京宣言の後、橋本、小渕、森政権下でなぜわれわれが五六年宣言を明示的に確認することにあれだけ力を入れたのかというと、そうしないと、東京宣言で歯舞群島と色丹島を係争地としているから五六年の取り決めは取り消し、と日本も認めたことになりかねない。これでは北方領土は永遠に一島もかえってこなくなる危険がある。そうではないと確認するために五六年宣言を入れなければいけないということであって、決して二島で手を打つという話ではなかったのです。しかし、鈴木さんの影響力をそぎたい外務省内の勢力、そして領土問題が解決すると自分たちの存在価値がなくなると考えた北方領土ビジネスの人々は、鈴木さんや私に対して「二島返還の売国奴」とプロパガンダを行ない、それから先に何が起きたかはご存知のとおりです。

玄葉外相の今回の方針が立派なのは、四島返還が日本の「立場」と表現したことです。立場は、相手との合意を必要としません。法的な解釈、評価がどうであろうと、これが日本領だというのがわれわれの立場です、そう考えているのだということです。これでいいのです。立場と立場の違いを政治決断で動かしていくのが外交です。ようやく交渉の仕切りが、鈴木事件から十年経ったところで正常になった。

裏返して見ると、鈴木宗男氏が、所属議員が五人しかいないとはいえ新党大地・真民主の党首として戻ってきたのは、異常な現象ともいえるのではありませんか。彼は本来二〇一二年四月の終わりまでは刑務所にいたはずの人で（二〇一一年十二月に仮釈放）、公民権も停止中です。しかし公党の党首になって、「北方領土の日」の全国大会で演説をし、翌日には総理が官邸で会っているわけです。それに対する批判も出てこない。

これもやはり、新・帝国主義の時代に国家が生き残るためには、鈴木氏をも使わないといけないという国家の本能があって、それを政治も、メディア、そして国民も是認しているからでしょう。

第3章　ハルマゲドンを信じている人々

イランが招く核戦争の危機

今後二、三年の間、国際政治の焦点になるのはイランです。ところが日本ではどういうわけか、イランに関する報道が少ない。あったとしても、アメリカはヒステリックになっているのではないかとか、アメリカの大統領選が近くてユダヤ・ロビーの影響力が必要だからイランに強硬に出ているのではないかとか、ステレオタイプかつ事態の本質がわかっていないコメントが多い。

三年前の二〇〇九年の時点では、アメリカはイランの核開発をそれほど深刻視していなかった。イランは核開発をあきらめ始めたのではないかという見方をして、ＣＩＡも、イランが核開発をしている明白な証拠はないというスタンスでした。

ところが二〇一一年になると、アメリカもヨーロッパも、イランの核開発は最終段階に来ているという見方をしています。二〇一二年二月時点の中東某国のインテリジェンス関係者からの情報によると、イランはすでに二〇パーセントの濃縮ウランを約一〇〇キロ持っている。この濃縮度を九〇パーセントに上げることに成功したら、原爆製造が可能になる。この調子だと半年足らずで、イランは広島型原爆四個分くらいの高濃度ウランを保持することが技術的にできるだろうという。九〇パーセントのウラン濃縮は技術的にはもう可能で、イランがそれを手にするまでにあと四、五カ月。そこから原爆製造までに一年。さらにその原爆をミサイルに搭載可能にするのに一年。だから今後二年半で核開発に成功するのではないか。

イランが核を持つと何が怖いのか。世界に核を持っている国は他にもたくさんあります。米露英仏中の五大国は持っていますし、インド、パキスタンも持っている。さらにイスラエルが持っているのも公然の秘密です。そして北朝鮮も。しかしこれらの核と、イランの核はまったく性質が違う。まず問題なのは、イランは情勢を合理的に分析することが可能かどうかということです。

アメリカはイランに対して相当妥協的に出ています。レッドカードを出すポイントは、ウランの九〇パーセント濃縮。そこまでいかなければ、いま持っている核開発能力を廃棄しろとは言わない。この段階でとどまっていれば少なくとも二年半の時間は稼げるわけですから、それを条件に取引して、イランに対する制裁を解除し、共存を図っていく。おそらくそんな線を考えていると思います。二〇一二年六月現在、国際社会の圧力が功を奏しており、イランはウラン濃縮に対して慎重になっています。しかし核開発を断念したわけではありません。

今、ここで述べた予測はあくまでもイランが合理的な行動をすることが前提の話です。そして、そうとは言い切れないのが怖ろしい。イランにはハルマゲドン思想を信じている人々がいるからです。

ハルマゲドンを信じる指導者

イランの現体制は三つに割れています。一つはハメネイ宗教最高指導者たちのアヤトラという聖職者たちのグループ。この人たちは、石油とか、ピスタチオとか、ペルシャ絨毯とか、さまざまな経済利権を持っています。そして非常に腐敗している。

それに対して、イランの国教であるシーア派、十二イマーム派の中の極端な考え方をするセクトから出て来たのが、アフマディネジャド大統領。この人は腐敗、汚職を追及していて、たしかに本人もクリーンなポピュリストです。ただ問題は、この教派がハルマゲドンを強く信じていることです。十二代イマーム（指導者）以降、霊的な次元にお隠れになっている真のイマームが、ハルマゲドンで世界が終末を迎えたときに出現すると信じています。イランの国家存亡の危機が近づけば近づくほど、いよいよ救世主が登場すると燃え上がっている。

　すると、ゲームのルールが変わってくるわけです。従来からの核抑止力理論からすれば、イスラエルがイランを圧倒的に凌駕する核ミサイルをもっているから、イランが攻撃することはないだろうということになる。しかし、ハルマゲドンが起きたときに「お隠れイマーム」が現れて核ミサイルから守ってくれると、イラン大統領が本気で考えているならば話は違ってくる。これがイスラエルを悩ませる一番の種なのです。しかも、この大統領は選挙で選ばれた人で、国民が圧倒的に支持している。

　三つ目の勢力は、イスラム革命防衛隊です。これは正規軍よりずっと装備がいい最精鋭軍部隊です。イラン正規軍は徴兵制で、戦力は大したことはない。対して、イスラム革命防衛隊は志願制の職業軍人の集団で、練度も高く、待遇もいい。ホルムズ海峡封鎖をすると言っているのはこのイスラム革命防衛隊の幹部です。

　この三者が絡んで、常軌を逸するような権力闘争が行われているのがイランの実状です。二〇一二年一月にアフマディネジャド大統領の報道官が一年の実刑判決を受けています。宗教最高指導者を侮辱したとして、宗教警察が逮捕、起訴したのです。そして大統領の周辺は、聖職者たちを腐敗、汚職で捕まえている。不安定きわまりない体制です。

イランは民族の原理でネーション・ステートとして統合されているのではなく、宗教原理で成り立っている帝国です。たとえばハメネイ宗教最高指導者は、民族的にはアゼリー、つまりトルコ系のアゼルバイジャン人です。元大統領のラフサンジャニもそうです。民族的に多数を占めるペルシャ人ではない。しかし、ペルシャ人かアゼリーかということは、国を分ける原理にはなっていない。ただしアゼリーという意識がもっと強くなると、今度は南北アゼルバイジャンの統一というような形で、イランの国が割れる可能性が生じます。

ちなみに、イランでは改革派を含めて、国民の全てが核開発に賛成です。核開発に反対する声はない。

イランはアケメネス朝ペルシャの時代からの世界帝国でした。帝国にふさわしい地位を得るためには核が必要ということに関しては、改革派から宗教保守派まで、国民的なコンセンサスがあるのです。

北朝鮮の核の真意

また、イランの核と北朝鮮の核は密接に結びついています。北朝鮮の核ミサイル技術者がイランに行っていることは、両国政府は否定しますけれども、インテリジェンスの世界では公然の秘密です。二〇一一年十二月三十日の産経新聞が、十一月に起きたテヘラン郊外のミサイル製造施設の爆発事故で北朝鮮の技師が五人死んだと報じています。これは相当高いレベルのインテリジェンスにアクセスできる情報源から出たニュースでしょうが、北朝鮮関与のいい例です。

北朝鮮は外貨を稼げるのなら何でも売るし、そのルートをつくるのがうまい。かつて第二経済委員会というものがありました。いまは名称が変ったでしょうが、他にも「労働党三十九号室」とか、金正日直轄の資金調達部門がありました。そこは何でも売る。中でも一番金になるのがミサイルです。これはそもそもソ連がエジプトに売ったスカッドミサイルを、エジプトがソ連の了承を得ないで北朝鮮に横流ししたものです。それを北朝鮮が改良してノドン・ミサイルにしたのをイランが購入して、ソ連の技師を雇って改良したわけです。

実は、小泉政権になるまで、日本はイランとの関係にブレーキをかけていました。アザデガン油田開発も、橋本政権、小渕政権のときはストップさせていたのです。これには鈴木宗男氏の影響が大きい。

今だから話せることですが、あるとき鈴木氏のところに行ったら、ノドン・ミサイルの構造図がある。防衛庁の連中に見せても、「これはすごい情報です」というものでした。中東某国からもらったものだというのですが、それはこういう話でした。日本がイランにODA（政府開発援助）を与え、大規模な民間投資を計画しているけれど、気を付けてください。イランはそれによってセーブした金をミサイル開発に使いますよ。旧ソ連の技師を招いて、能力を向上させています。その向上した技術が北朝鮮に渡っています。北朝鮮のミサイル打ち上げのときにはイランの技師がいました――つまり中東某国は、日本国民の金で北朝鮮のミサイルを開発するようなことになるからイランへの援助や投資はやめたほうがいいのではないですか、という話をして構造図をくれたというのです。中東某国というのは、名前をあげることは差し控えなくてはならないのですが、アラブでもイランでもない情報大国です。

ところで私は、外交官時代、ロシアだけでなくイスラエルを相手にしていろいろな仕事をしました。イスラエルとの付き合いの中で非常に勉強になったことに、昔のモサド（イスラエル諜報特務庁）長官のエフライム・ハレビという人から聞いた話があります。彼自身、平壌に乗り込んだことがあるのです。そして祖国平和統一委員会の金容淳（キム・ヨンスン）と交渉した。金容淳は対南工作をやっていて、日本の野中広務氏なども付き合っていた高官ですが、北朝鮮インテリジェンスの事実上の責任者だった。ハレビは、北朝鮮のミサイルがまたイランに流されることになると、更に改造されて核弾頭付のミサイルがイスラエルに飛んでくる可能性がある。それよりは、金を払うから、ミサイルを作るのをやめてくれと、開発中止の取引をしようとした。しかし結局、アメリカから、北朝鮮に金を流すなと横やりが入ったのと、北朝鮮の言い値が二桁違ったのとで、諦めたというのです。ただ、北朝鮮は案外脇は甘いから、実際的な交渉をすると言って門戸を叩けば、奥の院まで通してくれる。決してアクセスが難しいわけではない、対話は十分可能だと言っていました。

北朝鮮の核は、イランの核と比べると防衛的です。革命の輸出を考えているわけではありません。ただし北はリビアのカダフィ大佐の失敗から学んでいます。カダフィ大佐は核開発を放棄し、過去のテロ行為の一部を認め、西側との関係を修復した。それによって体制の安全を保障され、石油利権の一部も与えられるはずだったのですが、アラブの春がリビアに波及してくると、NATO軍に空爆され、結局ああいう無残な形で殺されてしまいました。もしリビアが核を持っていたら、NATOは空爆できなかったし、カダフィはいまだに生き残っていたでしょう。それを見たから、金正日も、あとをついだ金正恩も、核の保有が安全保障上絶対必要だという考えは変えないでしょう。同時に、イランに対する西側の徹底した包囲網と強硬姿勢を見て、イランのような状況に追い込まれたらもたないというので、出口を探しているのだろうと思います。

ベストセラーになった東京新聞の記者・五味洋治さんの『父・金正日と私　金正男独占告白』（文藝春秋）という本の中で一番重要なメッセージは、核のところだと思います。いかなる状況においても核は手放さないという北朝鮮の論理です。どんなリベラル派であっても、北朝鮮国家が生き残るには核抑止力に頼るしかないと考えているのだ、というメッセージを伝えることが北にとって重要だったのだと思います。裏返せば、そのメッセージさえ伝われば、北朝鮮当局としては、金正男が金正恩のことをどんなに貶（けな）そうと関係ない。むしろ貶せば貶すほど、現体制に批判的な人間でも、北は核を手放さないという認識をもっている、ということが広まるのですから。

　いわば、核が北朝鮮の国体になってしまっているのです。

　金正男と同じ役割を演じているのがイランの前大統領で改革派のハタミです。ハタミだって、核開発には賛成なのだということになっているわけです。

新たな「東西対立」

このイランの核問題にからめて重要なのは「西側」が復活していることです。西側の資本主義国に対する東側の共産圏という東西冷戦が崩壊したために、西側という言葉は死語になっていたのですが、イランの核がクローズアップされてから復活した。日本も西側の一員として、今度のイラン制裁には積極的に加わっているわけです。そして、この場合、「東側」は中東です。

二〇一一年十一月末に、テヘランのイギリス大使館に暴徒が乱入するという事件がありました。これは外交官特権に対する侵犯であるとイギリスは拳を振り上げた。イランの外交官をイギリスから全員追放し大使館を閉鎖させ、テヘランのイギリス大使館からも外交官を引き揚げさせました。始めからイラン当局が関与していなければ、暴徒があんなに数多く大使館に入って行くことはありえません。ですからイギリスの対応はもっともなものに思えます。しかし、イギリス側にもそういうことをされる理由があるのです。

ちなみに、テヘランのイギリス大使館は広大なもので、国会議事堂くらいの大きさがあります。その隣のロシア大使館も、中にサッカー場があるくらい大きい。これは十九世紀のイギリスとロシアの帝国主義、「グレートゲーム」の残滓です。グレートゲームというのは、ロシアが冬でも凍らない港、不凍港を求めて南下する動きから起きたことで、中央アジアを勢力圏とするロシアがインド洋を目指したのに対し、インド（いまのパキスタン、バングラデシュを含む）を勢力圏とするイギリスが阻止を図り、アフガニスタンを緩衝地帯とすることで決着した。だからアフガニスタンには鉄道が敷かれなかったわけです。鉄道があると軍需物資を輸送できますから。もう一つロシアが狙ったのがペルシャ湾に出るルートで、このため双方の勢力がイランの中で膠着状態になって、イランはイギリスとロシア双方の影響を強く受けるけれども、どちらにも完全には従属しないという形で十九世紀を生きのびたのです。当時のイラン高官はみんな、イギリスかロシアのスパイか、あるいは双方のダブルスパイかだったといわれるほどで、そんな事情から両国は互いに競い合って巨大な大使館を建設したわけです。

産経新聞が報じた十一月のミサイル施設の破壊があり、それから同じ月の末にはイスファハンにあるウラン濃縮施設で事故が起きて、また専門家が何人か死んでいる。これらは、西側の秘密オペレーションなのです。つまりイギリス、イスラエル、アメリカ、フランス、ドイツが一緒になって、イランの核開発を遅らせるために施設を破壊したり、関係者を暗殺したりしている。これはイランの主権を完全に侵害することですが、そうしてでもストップさせなければならないほど、核拡散はアメリカにとってもＥＵにとっても大きな問題だということなのです。それに対して、イラン側は大使館への乱入を行った。近代的な国際法の枠を超えることを双方やり始めているのです。このへんが、日本にいると皮膚感覚としてよくわからないわけです。

二〇一一年の前半、ユーロ危機に際してあれほどてんでんばらばらだったヨーロッパが、ギリシャの財政支援でなんとかかんとかまとまったのも、イラン問題が急浮上してきたからです。イランから大量の石油を輸入していたイタリアが禁輸に踏み切ったのも、そのためです。イタリアは西側の一員として、イラン対応に協調します、という姿勢を見せたわけです。外交・安全保障が内政に跳ね返ったのです。

バーレーンの革命はなぜ消えた？

一方、イラン側も本格的に革命の輸出を東側に行っています。日本では「アラブの春」と十把一絡げにしていますが、チュニジアの次に騒動になったのはバーレーンでした。それがいつの間にかエジプトに移り、それからリビアになりました。バーレーンはどうなったのか。

実は、バーレーンはシーア派（十二イマーム派）が強い国です。同じシーア派のイランの聖職者たちが、僧服を脱いでバーレーンに入り、戦闘服に着替えてさんざん扇動していたのです。シーア派は湾岸諸国のあちこちに少数派として存在していますから、これによってシーア派革命が起こることを湾岸諸国は非常に恐れました。

アラブの春では、フェイスブックが情報伝播に大きな役割を果たしたといわれています。しかし私は、チュニジアでも、エジプトでも、リビアでも、フェイスブックが果たした役割は二次的と見ています。フェイスブックに加入してかなり複雑な知的ゲームを操ることができる人は、アラブ諸国においては限定されている。いわゆる市民層、中産階級がまだ少ないのです。ベルリンの壁が崩壊したときはCNNが大きな役割を果たした、今回はフェイスブックだ、という報道は西側のバイアスがかなりかかったもので、実際に影響力が大きいのはやはりテレビです。

端的にいえば、アルジャジーラとアルアラビーアです。アルジャジーラはカタールの衛星テレビ、アルアラビーアはアラブ首長国連邦の衛星テレビ。しかし、アルアラビーアの場合、実際に金を出しているのはサウジアラビアです。それでサウジアラビアが中心となって、アルアラビーアとアルジャジーラで、「バーレーンの騒動には外国勢力の陰謀がある。挑発に乗らないように」ということを徹底的に放送したのです。ここでいう外国勢力とはイランのことです。そうしたらバーレーンの騒動が収まってしまった。

　日本はそういうことがよくわかっていない。だから、いまイランの核に対しては、国連安全保障理事会の五常任理事国（米、英、仏、露、中）プラス、ドイツで協議するという形になっている。日本だけ外れています。

　日本はエネルギー政策上も中東と特殊な関係があるからアメリカにひっぱられる必要はないとか、イランとは出光興産が戦後復興の時代から特殊な関係だとか、半世紀以上前の神話がまだ一人歩きしているのは驚きです。

　しかし日本はイラン問題で、すでにルビコンを渡っています。

　第二次湾岸戦争でアメリカと一緒に多国籍軍として自衛隊を派遣したし、何より今回のイラン危機でひきがねを引いたのはＩＡＥＡ（国際原子力機関）の天野之弥（ゆきや）事務局長だったことは忘れてはならない。天野氏がＩＡＥＡ事務局長として初めてイランを名指しし、核開発をやっている、証拠があると言ったわけです。ＩＡＥＡは国際機関だから日本の国とは関係ないと言っても、通用しません。おそらく天野氏は日本政府と協議はせず、データを見て、これはおかしいと思って言っただけでしょう。しかし前事務局長のエルバラダイは半分イランの仲間で、できるだけイランに好意的な解釈をしていましたから、それに比べると違いは明確。少なくともイランはそう思っているはずです。

野田外交の方向転換

日本の対応は、当初は、イランからの原油調達を減らす意向をガイトナー米財務長官に伝えた安住淳財務大臣と、従来の日本外交の延長線上で「慎重かつ賢く対応する必要がある」と経済制裁に慎重な玄葉光一郎外務大臣とで意見が違っていたように見えました。結局、安住財務相の言ったことが政府方針であるとした答弁書が出て、官邸主導で対イラン制裁の強化が行われたのです。

さらには野田首相がイスラエルのバラク副首相兼国防相と会談し、イランからの原油輸入が過去五年間で四〇パーセント減少し、今後も減少する見通しだと述べた。野田外交は、わずか一カ月くらいの間に、同じ総理大臣と思えないような転換を遂げたのです。先日、ある著名な学者と話したのですが、この先生が野田首相に会ったとき、首相は「私は総理に就任した時点では平時のリーダーシップを発揮しようと考えていました。しかし、それは間違いだった。危機のリーダーシップを発揮しないといけない」と言ったそうです。それはいまの官邸の動きと符合する。

野田首相は、イランの状況を危機と見て、かなり大胆な方向転換を行い、そのことを発信したのです。そして藤村官房長官が、ホルムズ海峡封鎖があった場合について、遺棄機雷除去のための掃海艇派遣は可能だと発言した。これは、一昔前だったら国会が火を噴いてとんでもないことになるところですが、「自衛隊法に基づき除去することは可能」と言明したのです。明らかに集団的自衛権の問題まで踏み込む腹です。

アメリカは対中国を優先して帝国主義の拠点をアジア太平洋に移そうと決意したところです。ところが中東情勢が難しくなって困った。そこで日本が期待以上にイランを締め上げ始めたわけです。これまでイラン側だった国が反対側に回ったわけですから、効果は倍です。中東はアメリカにとっては死活的な問題だから、他の面で日本に譲るという取引外交が成立します。

日本の対イラン外交を見て、普天間でアメリカは譲り始めた。普天間に関しては報道とちがって、いま沖縄とアメリカと首相官邸の利害がほぼ一致しようとしている。実は駐留米軍の防衛力さえ担保されれば、アメリカも官邸も県外移設でも構わないのです。困るのは、いままで辺野古移設しかないと言ってきた防衛官僚だけ。外務官僚も少しは困るかもしれないが、大きな政策が変わるのだったら仕方ないか、というのが本音だと思います。

イランへの経済制裁に日本が参加した影響で、普天間だけでなくＴＰＰの議論でもアメリカからの圧力はだいぶ収まってきたのではないですか。少なくとも医療保険に関しては、アメリカの空気が変わってきました。

これらはすべて外交取引の世界なのです。イランという、アメリカにとって本当に重要な問題で日本が大きなカードを切ったからです。

外交面においては一時の混迷を脱却し、野田首相、藤村官房長官、斎藤勁官房副長官、玄葉外相、前原政調会長の五人で多数決をして、四人が同じ方向だったらそっちへ行くという形ができるようになった。意識してかどうかはともかくとして、帝国主義的な状況に適応しています。権力が集中し、独裁に近いことが外交ルートでは起きているわけです。この点は評価してよいでしょう。

とんでもない鳩山イラン訪問

もっとも、鳩山由紀夫元総理のイラン訪問は日本外交でも前代未聞の珍事で、相当なダメージを与えました。鳩山氏は政府、民主党の反対を押し切り、「独自ルート」によって一議員の資格でイランを訪問したというのですが、元首相でしかも外交担当民主党最高顧問という肩書をもつ鳩山氏が、アフマディネジャド大統領、ジャリーリ国家安全保障最高評議会書記と会談すれば、一議員の外訪で済ませられるわけはありません。

しかも、イラン大統領のウェブサイトに「鳩山氏は大統領との会談で、イランをはじめとする一部の国に対するＩＡＥＡのダブルスタンダードは、不公平な態度だと述べた」と掲載されました。これは、たいへんまずい。大量破壊兵器、特に核兵器の不拡散に関する、日本政府の立場に疑念を招きかねません。

鳩山氏はこの記述は捏造だと抗議して、東京のイラン大使館幹部が謝罪しウェブサイトから当該記述は削除されましたが、しかしイラン大統領府は〈「鳩山氏の発言は事実だ」としつつ、「鳩山氏が帰国後に直面した事情を考慮し、削除することを決めた」と説明した〉（二〇一二年四月十二日読売新聞朝刊）といっている。つまり、「発言は事実なんですけど、鳩山さんが困っているようですからウェブサイトからは削除しました。これは日本側に対する『貸し』ですよ」と念押しされているわけです。

注意すべきは、この鳩山イラン訪問を、野田首相、玄葉外相はじめ首相官邸はまったく承知していないことです。にもかかわらず、駒野欽一在イラン日本国特命全権大使が、アフマディネジャド大統領はじめすべての要人との会談に同席しています。特命全権大使とは天皇陛下の信任を受けた日本国家の代表である以上、政府が高いレベルで関与しているとみなされるのが外交常識です。さらにいえば、同行した大野元裕参院議員は、前原政調会長の下で民主党の「インテリジェンスNSC（国家安全保障会議）ワーキングチーム」の座長をつとめる外交・安全保障のプロです。大野議員は、外務省で勤務した経験がある。アラビア語専門官としてインテリジェンスを担当する外務省国際情報局分析第二課にも在籍していましたから、同局第一課にいた私も面識があります。

つまりインテリジェンスの世界では、日本政府と民主党が、裏でこの訪問の糸をひいているとみなされるのが自然なのです。私もそういった問い合わせをずいぶん受けて、いや違う、単なるピントの外れた悪しき二元外交なんだ、と説明しても誰も納得しないのでうんざりしました。

現に、イランの有名なニュースサイトでは、「鳩山氏は公式な任務の枠内でイランを訪問した。帰国後の、日本政府による批判や反対も、彼の真の目的を覆い隠すために行われたものだ」と書かれており、鳩山氏＝日本政府という情報操作がされています。

実際のところ、この訪問は稚拙にすぎます。まず、一部の外務官僚が深く関与しているのは間違いありません。鳩山氏は、独自ルートといいながら、イラン訪問前に外務省への便宜供与を依頼しています。また、駒野特命全権大使の会談同席を、誰が命じたのか。外務本省の誰が決裁したのか、あるいは現地の独断なのか。いずれにせよ、玄葉外相の了承を得ていないのならば、かつてナチスドイツに過度の迎合をした大島浩駐独大使のような、外務官僚の深刻な暴走が起きています。

また、細かいことをつつくようですが、大野議員の宿泊費をイラン側が負担したのもおかしい。外交交渉で相手に借りをつくらないのは基本中の基本です。私も外交官時代、ロシアやイスラエルでの交渉の際、宿泊費や交通費を相手側に負担させたことは一度もありません。外交官であった大野議員が、その点をわきまえていないはずはないのですが。

最大の問題は、鳩山氏が「絶対に正しいことを行なっている」という信念で行動していることです。善意にもとづいて、責任の所在の明らかでない勝手な外交を繰り広げているので手に負えない。新・帝国主義時代のルールを、まったく理解していないのです。

恐ろしいのは、こうした鳩山氏の信念をうまく利用し、外務省に深く食い込んでいる、プロの手が感じられることです。イランのインテリジェンスが実によく仕事をしているといえる。鳩山イラン訪問の結果、日本政府の核兵器不拡散に関する立場に疑念を抱かれれば、日米同盟にも悪影響を与えます。ロシアに対しても間違えたシグナルを送る。このツケは高くつくと私は考えています。

ロシアのシニカルなイラン観

ロシアの中東外交は、シニシズムそのものです。ロシアはイランがどれくらい危険かよくわかっている。イギリスやイスラエルと同じレベルの認識がある。ところが、当面、イランの矛先がロシアに向かってくることはない。経済制裁で各国がイランからの石油輸入を減らせば世界的に石油もガスも価格が上がって、資源輸出国として得だし、イランとルートがある国として外交ポジションが上がる。人の喧嘩が自分のプラスになるのならそれでいいではないかという帝国主義外交を展開している。

シニカルな資源外交に関連していえば、実はロシアは地球の温暖化を歓迎しています。なぜなら、地球が温暖化することによって、北極海の氷が融けつつある。そして永久凍土、ツンドラの層も薄くなってくる。すると、たとえば北極海に突き出しているヤマール半島で大量の天然ガスが採れて、そこからいまやヨーロッパ向けガスのほとんどを供給しているわけです。これまでは、何か資源が埋まっているだろうと想定されても調査すらできなかった土地を、利用できるようになる。北氷洋の氷が融けると、砕氷船を使って北極海経由でヨーロッパとアジアを繋ぐことができる。その商船航路をつくろうとしていて、そのためには地球温暖化は歓迎すべきものなのです。

そういうロシアの内在的論理がわかれば、日本としては北方領土交渉にも生かせるのです。ロシアのメドベージェフ大統領と菅直人首相の相性がよくなかったために、メドベージェフはカッとなって北方領土の軍の近代化を決め、国後島や択捉島に最新のミサイルを配備するなどした。この動きに対して、けしからんとか、日本との関係をどう思うのだとか言ったって、ロシア人は聞きません。ここはわれわれも帝国主義的に考えないといけない。

その場合、地図を見たらいいのです。帝国主義の時代を考えるときは、常に地球儀を見ながら考えることが大事です。古くからの地政学（ゲオポリティクス）が重要になってきます。

ロシアの貨物船が、ヨーロッパから北極海を経てロシア極東の港に着くためにはどこを通らないといけないか。間宮海峡は波が荒くて通れない。対馬海峡では遠すぎますから、宗谷海峡か津軽海峡を通らなければならない。あたかも日露戦争のときにロシアのバルチック艦隊がどこを通るかが問題だったのを思い出させるような状況です。北方領土で日本との緊張関係があると、何かあったときに津軽海峡や宗谷海峡を日本に封鎖される可能性がある。ロシアとしては怖くて北極海航路を商業用に使えないわけです。そこのところから、北方領土の非軍事化という縛りをかけて、日本もアメリカもどこの国も軍事化はできないということにしておけば、ロシアは安心して経済活動ができる。北方領土返還に至る過程で、こういう取引も考えられるわけです。

シニカルなロシアに比べて中国はいまだ帝国主義国以前。中国が考えているのは、イランからの石油供給が止まってしまったら困るということ。また反面、禁輸でイランが石油を売れなくなってだぶつくとイラン石油の値段は下がるだろう。それを買って安くエネルギーを調達できるのならラッキーだと、それくらいの感覚です。単純で、新・帝国主義ゲームのプレイヤーとしてのポジションがとれていません。

かつてなく高まる核戦争の危機

先ほど新しい「東西対立」と言いましたが、西側ができるのと同時に「東側」が中東にできています。もっとも、これはイギリスの詩人キプリングの「東は東、西は西」の時代に戻ったわけで、「新しい」というより「本来の」東西対決というべきかもしれない。

ただし新旧の「東西対立」で根本的に違う点があります。かつての東西冷戦下では、米ソは対立しながらも偶発核戦争を避けるために、信頼醸成のための協議を定期化したり、核軍縮を行ったり、ホットラインを引いたり、ありとあらゆる形で調整措置を取っていました。しかし中東にはそういう安全保障メカニズムは何もないのです。先ほど述べたように、イランのアフマディネジャド大統領たちはハルマゲドンを本当に信じています。キューバ危機のような事態が起きたら、フルシチョフとは違って、本当に核のボタンを押すかもしれません。

もう一つ、冷戦のときと違うのは、イスラエル・ファクターです。アフマディネジャド大統領が二〇〇五年十月に、イスラエルを地図上から抹消するという公約を出した。イスラエルは、全世界に同情されながら死に絶えるよりも、全世界を敵に回しても戦って生き残るというコンセンサスがとれている国です。西側がやらないのなら、イスラエルがイランを単独攻撃する可能性は十分あります。

イランの核施設は各地に分散していて、その一つはコムという場所の近くにある。コムは初代の最高指導者ホメイニ師が教えていた聖地ですから、ここを攻撃すると宗教戦争になります。イランの首脳はそれを計算して聖地付近に核施設を造っている。それでも、イランが九〇パーセントのウラン濃縮をやったら、アメリカがいくら抑えようとしても、イスラエルが攻撃する可能性が排除されない。空爆と、潜水艦からの巡航ミサイル攻撃がまずありえます。それと、イランの核施設は地下一〇〇メートル以上の深さにあるといいますから、これはバンカーバスター爆弾でも破壊できない。となると、戦術核を使うしかない。戦術核を付けた巡航ミサイルを積んだイスラエルの潜水艦がペルシャ湾に潜っているのです。

その先に来るのは、イスラエルとイランの全面戦争です。このイスラエルの独走を抑える術が西側にはないところが、新しい「東西対立」の怖ろしいところです。だからこそアメリカもヨーロッパも、イランへの経済制裁にいち早く踏み切ったのです。イランへの警告だけでなくイスラエルの独走を抑えるという意味もあった。

イランに加えて、中東の中で不安定要因として大きいのがサウジアラビアです。イランが核を保有した場合に備えて、サウジアラビアとパキスタンの間に秘密協定があるといわれています。もちろん両国の政府は認めていないのですが、インテリジェンスの専門家の間では常識になっていることです。パキスタンのような貧乏国にどうして核開発ができたかというと、サウジアラビアがお金を出したから。そして秘密協定で、イランの核保有が確認されたら可及的速やかにパキスタンの核弾頭のいくつかをサウジアラビア領内に移動させるというのです。

そうなると、アラブ首長国連邦もカタールもオマーンも、核をよこせということになる。エジプトも核保有に関心を持ちかねない。さらにもしシリアが核を持つようなことになると怖ろしい。ここのアサド政権は、現大統領の父親のアサド大統領のときに、ムスリム同胞団を二万人以上殺している。皆殺しも平気でやります。シリアでは人口の一二パーセントしかいないアラウィ派という小さなシーア派のセクト（一般にはイスラム教シーア派といわれていますが、キリスト教や山岳地域の土俗宗教の影響を受けた独自宗教と考えるほうが正確です）がエリート層を占めている。これはかつてフランスがシリアを植民地にしたときに、アラウィ派を警察官として使った、その名残です。

アラブでは国民国家はできていませんから、反対派を鎮圧するために、広島型の核兵器を平気で使うような政権があるわけです。そうすると、核戦争のハードルが非常に低くなる。核を本当に使うぞという恫喝外交が可能になってくる。であれば、並の国はみんな核爆弾を持ちたがる。相当数の核兵器が世界中にあふれ出て、人間の非合理な要素が引き起こす偶発核戦争の危険が高まっています。

日本は核武装すべきか

いまや帝国主義の生き残りには、核保有の問題が絡まってきているわけです。では日本はどうなのか。

私は「日本の核武装、是か非か」と聞かれたときは、「非」と答えることにしています。しかし、現実は日本の核武装に関しては、ある種の与件があって、それ次第で、賛成反対にかかわりなく進んで行くことでしょう。与件の変化があると、たとえば中東でイランが核を保有する、サウジアラビアも持つ、となると、日本の核保有もいい悪いとは別に、時間の問題になります。核保有は、日本外交の現実の日程に入っているのです。二十年先まで考えると、核保有をするか、あるいはアメリカの核の傘を日本の中に及ばせる、つまり非核三原則の逆で国内に必ず核を持ち込ませるという形でコミットメントさせるか。安全保障の論理からすると、何らかの形で核の担保が必要になってきます。

ただしその際、世界の核不拡散体制を崩す最初の旗を振る必要はないという感覚が私にはあります。だから聞かれたときは「非」と答えているのです。不拡散体制が崩れたとき、日本がきっかけになったからだといわれたら、その国際的な風圧はとてもきびしくなる。

本当に現実的に日本の核保有を避けるシナリオを考えるのだったら、いま経済制裁をイランに対して強化して、まずイランに核保有を断念させることです。

本来、核なんかに依存しないほうがいいのは間違いありません。日本が独自に核を持って安全保障を担保する政治的なコストは、非常に高いと思います。対米にしろ、対中国にしろ、風圧が強まる。それから東南アジア諸国の風圧も全然違ってくる。

しかしやむを得ず持つことになる状況というのは、客観的にありえますし、その可能性は低くない。しかし、そうなる前に先頭を切ってやるべき話ではないと思うのです。勇ましくではなく、国家として生き延びるためやむを得ず核武装します、という形をとるべきというのが私の考えです。それは広島・長崎の被爆感情とは別の、国際政治のリアリズムから言えることです。

外交においては、詰めたほうがいいことと曖昧にしておいたほうがいいこととがある。しかし往々にして日本人には、物事を曖昧にしておけない性質があります。非核三原則の、核兵器を「持たず、作らず、持ち込ませず」もそうです。そもそも「持ち込ませず」までいわなくても、非核二原則でいいのです。それから、武器禁輸三原則も、佐藤政権時代の、共産圏、国連決議で禁止された国、紛争当事国には輸出しないというだけでよかった。三木首相時代に追加した、それ以外の地域にも武器輸出を自粛するなどという原則は不要でした。曖昧にしておけばよかったのです。「曖昧な日本人」などといわれますが、真面目すぎるのか、国際政治のリアリズムがわかっていないのか、必要以上に詰め過ぎるところがあります。

前章、そして本章で述べてきたように、各国が自国の利益をむきだしに帝国主義の論理で行動し、そこにゲームのルールがわかっていない中華帝国や、ハルマゲドンを信じているペルシャ帝国が加わっているのが、今、私たちが生きている世界です。

核の問題ひとつをとっても、それに対処するには、総合的な「知力」が必要とされます。相手の内在的論理を知り、彼らがどういう行動原理で動いているかがわからなければなりません。

記憶力だけが優れた、試験勉強エリートに頼っていたのでは、日本はもはや国家として生きのびることができないのです。

第4章　国体、資本論、エリート

日米安保という「国体」

戦後日本のシステムは、どういうものだったのでしょうか。

私は、戦前の「近代の超克」の裏返しだと見ています。大東亜戦争は、日本ではイデオロギー的には「近代の超克」をかけた思想戦だと考えられた。近代をつくったヨーロッパを思想的に乗り越えるのだ、ヨーロッパ的な近代を乗り越えるのだというイデオロギーがあった。それを裏返していうと、あの戦争に負けたのだから、近代に敗北したのだと日本人はとらえたわけです。

ではその後で出て来たものは何かというと、まずは合理主義。非合理な精神主義が日本をおかしくしたのだから、合理主義に転換しなければならない。それから、生命至上主義。命よりも国家が大切だというようなイデオロギー教育を徹底的に行なったから日本人はあいう無謀な戦いをしたというわけです。次に個人主義。国家や組織というものの全体が重要であって個人は押さえつけないといけない、という発想があの無謀な戦争を起こしたのだから、そこを変えなければならない。この三つの主義が絡まり合って戦後日本の在り方が基本的に決まっていったわけです。

この、合理主義、生命至上主義、個人主義の三本立てで行くとなると、力の要素がほとんどありません。しかし国家本来は、絶対的に「力」によって成り立っています。

では実際には力の要素がどうなっているのかというと、日米安保条約です。

一九四五年、連合軍が日本を占領したときに出した神道指令の中で、日本軍国主義イデオロギーを構成した書物として、文部省が編集し昭和十二年から配布した『国体の本義』を禁止しました。ところが一九四九年、ハーバード大学出版局からこの本の英訳が出ています。その英語の序文では、これが日本人の考え方の根本にあるものだとして、アメリカの日本専門家に読ませたのです。日本では禁止されたため忘れられており、二〇〇九年末に私が産経新聞出版から『日本国家の神髄』という題で全文復刻を含む解説書を出版しました。

日本を占領し『国体の本義』を禁止したアメリカが、日米安保という「力」を提供した。日本に国体というものがあるとするならば、国体の一部に日米安保条約が注入されたわけです。

だから日本の保守派は、親米保守になってしまった。アメリカとの関係を崩すことに、保守陣営は形而上的な恐れをもっている。それは戦後システムの中で、「力」の部分で安保条約という細い線に頼り、それによって日本の国体がぎりぎりで維持されている状況だからです。

日本語ローマ字化で国家解体

もう一つ、文字政策も戦後システムの重要な一面です。戦前日本には常用漢字表がありましたが、戦後は当用漢字表になり、一九八一年に再び常用漢字にもどりました。当用漢字というのは、当座用いる漢字という意味で、その前提にあったのは、日本語を最終的にはローマ字表記にするという考え方です。

日本語ローマ字化の中心になったのは東京大学の言語学教室です。戦後、日本の言語学は音韻論を主として発達しましたが、その中心になったのが服部四郎教授の言語学教室で、驚くべきことに紀要もほとんどローマ字表記でした。音韻論が中心になったのはなぜかというと、ローマ字化すると、分かち書きしなければならない。漢字仮名交りなら「これは鉛筆です」と分かち書きしないでいいけれども、ローマ字だと、koreha で切るのか ko-re-ha と切るのか、決めなければならない。それを音韻論で決めていこうというのです。

当用漢字は、直ぐに全部をローマ字表記にすると混乱するから「当座用」として定めたもので、だから字数もきびしく制限されたわけです。

本当に日本語のローマ字表記化が成功していたら、どうなっていたのでしょう。実は、いまの日本語の漢字仮名交り表記があるために、私たちには文字による情報の入手が非常にしやすくなっているのです。視覚的な把握力に優れたシステムだから、ものすごく速い時間で情報を頭に入れることができる。もしローマ字表記だったら、視覚による情報の把握度が格段に落ちることは間違いありません。

それなのになぜ漢字制限とかローマ字化をしようとしたのかというと、「日本人は漢字仮名交りという悪魔の文字システムを使っている。まっとうな文明国には読めないような文字を使っているから世界に反逆する思想を持ったのだ」という考えがあったのです。これは私が勝手に言っているのではなくて、言語学者の鈴木孝夫氏と田中克彦氏が『対論言語学が輝いていた時代』（岩波書店、二〇〇八年）という対談本の中で語っていることです。

「アメリカの言語学が、まったく新しい学問として日本に登場できたのは、アメリカの占領政策と深い関係があるのです。その占領政策は何かというと、日本語をローマ字書きにして、国語イデオロギーを解体しようとしたことです」「それで漢字をやめさせようという考えがあった。日本語は分かち書きしない言語だから、まず、どこに単語の切れ目があるかを知らなければならない。服部さんはこれをずいぶんやりましたよね。（略）その前提としての『音韻論と正書法』は、日本語をいかにしたらローマ字で音素表記ができるかという問題を扱っている。服部さんは結果としてアメリカの占領政策と一致する形で、方法も内容も日本にもってきた」（田中氏）。

「アメリカ軍が日本を支配するときに、とにかく日本人の書いているものが読めなければ、悪いことを言っているのかいいことを言っているのか、コントロールが利かない。だから、ほんとうはフィリピンみたいに英語を使わせれば、占領はいちばん簡単だけれど、日本語廃止論というのはあまりに現実ばなれしている。じゃ、せめて文字だけは悪魔の文字をやめてもらって、ローマ字にすれば、アメリカ人が少しは楽になる、という政策があった」（鈴木氏）。

非常に説得力がある話だと思います。こういった文化的なところから敵を切り崩していくのが、帝国主義の一番深いやり方なのです。

国家と文字システムについて、たとえばロシア語では、一九一七年のロシア革命後、三つの文字を排除しました。そのために、特殊な訓練を受けないと革命前のロシア語が読めなくなってしまった。ボリシェビキ政権、ソ連政権は、革命前の知的遺産のうち、国民にしらしめたほうがいいと思うものだけを選んで新しい文字表記で出すことにしたわけです。中国の簡体字改革にも同じ意味があります。敗戦後の日本でもそれと似たことが起きていたのです。戦前との連続性が断たれようとしたわけです。

天皇のビデオメッセージと首相公選制

しかし、いかに断絶されようとも、その奥には国家の生き残り本能というものがある。それが露呈したのが、二〇一一年の三月十一日、東日本大震災のときでした。

力の要素は日米安保条約に全部預けておいて、それ以外は合理主義的な計算と、生命至上主義と、個人の生活が一番大事だという個人主義でやっていけばいいという現行のシステムでは、日本の国家は生き残れないということが明白になった。あの津波の被害からの緊急避難と、福島第一原発の事故処理に当たって、日本国家の根本である「国体」が、静かな形で動き出したのです。

それが三月十六日の天皇陛下のビデオメッセージです。

「自衛隊、警察、消防、海上保安庁を始めとする国や地方自治体の人々、諸外国から救援のために来日した人々、国内の様々な救援組織に属する人々が、余震の続く危険な状況の中で、日夜救援活動を進めている努力に感謝し、その労を深くねぎらいたく思います」

と天皇陛下は語られました。

ここで自衛隊、警察、消防、海上保安庁の名前を具体的に出したことの意味は大きい。これらの職に就いている人は、国家そのものです。国際基準でいうと、無限責任を負う。職務遂行のために命を捨てることもあるべき人たちなのだと想起させて、この危機から抜け出すためには、命を捨てる気構えが必要なのです、と天皇陛下は訴えられたわけです。

これはいままでの基準で考えれば、明らかに国政に関する権能に属するわけで、憲法規範から逸脱しています。しかし、誰もそのことに違和感を覚えないし、異議申し立てもしませんでした。そしてその状況に関して、現職の川島裕侍従長が「天皇皇后両陛下の祈り」「天皇皇后両陛下　被災地訪問の祈り」という謎解きを二回にわたって雑誌『文藝春秋』（二〇一一年五月号、八月号）に書いた。これも異例なことで、日本国家の生き残りの動きの一つなのです。

これは天皇の絶対権力を強め、天皇陛下を中心とする形で国家が生き残っていこうとする動きですが、もう一つ、逆方向ですが、国家機能の強化を担う動きがあります。

首相公選制です。国民から直接公選された首相が、国民から信任を得て独裁的な権力を揮わないと日本国家は生き残れないとする考えです。橋下徹氏の「大阪維新の会」の維新八策にも首相公選が掲げられています。首相公選は天皇の存在と矛盾するともいわれますが、橋下氏は「いや、天皇制と矛盾しない」と言うだけで詳しい説明はありません。いまのところ場当たり的な対応で、天皇陛下との関係を深く考えていないように見えます。

しかし、よく考えていないほうが強いということもある。「天皇制」という言い方は、数ある制度の中の一つと見ているのかもしれない。つまり、単なる制度ならば改変も可能だ、ともとれる。橋下氏のやっていることは一見保守的、国家主義的に見えるのですが、国旗掲揚や君が代を歌うことをなぜしなければならないのかと問われると、法に定められているからだと言っています。法だから守らなければならないというのは、非常に機能主義的な発想で、では「インターナショナル」（社会主義者の革命歌。ソ連の国歌だったこともある）が国民投票で国歌になったら歌うのか。橋下氏は当然、歌いなさいというのでしょう。

一種、乾いた考え方なのだけれども、こういう共和制的な方向の中でしか日本が生き残れないという感覚は、日本のどこかに確かにあるのです。天皇の権力を強める動きと、逆方向の共和制的動き、両方出て来ている。新しい帝国主義の時代に日本という国家が身悶えしているのだと思います。

しかし私はやはり、首相が国民の直接選挙で選ばれるとなると、権力と権威をともに備え、天皇陛下の権威に抵触することになるのではないかという危惧を拭えません。橋下氏自身もこの問題は微妙だと思っているから、民主党の政治家と会ったときに、天皇は日本の元首であると明言しました。しかし、元首という言葉を使ってしまうのもまた軽率だといわねばならないのです。元首とはあくまで憲法上の規定です。憲法上の規定を天皇が存立する根拠にしてしまうと、神秘性、超越性を失ってしまう。実念論的ではありません。私は「日本は神の国」でいいと思っています。

そして元首とは外国に向かって国家を代表する機能を持つ存在です。憲法九条の改正とも絡みますが、万が一戦争が起きた場合、宣戦布告と和平の告知をするのは元首です。戦争に勝てばいいけれども、負けたときには確実に戦争責任を問われることになります。そのとき皇統はどうなるのか。たとえ敗戦でも国体を護持しなければいけないというのが先の大戦での教訓だとするならば、国際法的な責任を問われる地位に天皇を置くのが適切なのかどうかという問題になります。しかし橋下氏の思考はそこまで及んでいないのではないか。

自民党の憲法改正案も天皇を元首と位置づけましたが、保守派の城内実衆院議員（郵政民営化反対で離党し落選をへて自民党に復帰）が激しく反対しました。彼は元外交官ですから、天皇は国の象徴であったほうが、元首であるより超越的でいいのだという、国際政治のリアル・ポリティークを知っているのです。そもそも、天皇を象徴とする現行憲法の一条から八条までは、皇室典範の部分を除いては、非常によくできていると思います。皇室典範は皇室の中の、皇統譜に出ている人たちの中の自律事項にして、法体系から外してしまうべきです。そうすれば、皇位継承の問題はすべて解決します。女性宮家の問題も、本来皇室の中で考えることであって、われわれ臣民が云々するべきではないのです。

天皇陛下は日本には絶対必要です。天皇陛下がおられないと、日本は崩壊してしまう。だから、無理に天皇を排除しようとすると、共産党の指導者が宮本天皇とか不破天皇と呼ばれるような、疑似的な天皇が出て来てしまう。権威が権力の源泉であって、絶大な権限を持つけれども、全く責任を持たないという特異点としての存在が、日本という共同体には必ず生まれるのです。

だから皇室の問題はタブーにするべきです。タブーのない社会は悪い社会です。皇室は聖域なのです。聖なるものと俗なるものは区別しなければならない。そのほうが強い日本ができる。マスコミで話題になっている雅子妃の動向などには私は全く関心がありません。皇室が大衆社会のなかであれこれ語られて消費の対象になるとき、知識人の一人として、言論人の一人として、語らないという形で関与することも重要だと思う。旧約聖書の「伝道の書（コヘレトの言葉）」にあるように、ものごとには語るときと沈黙するときがある。皇室に関しては、沈黙するときだと私は思います。

エリート層の崩壊

そもそも民主主義について考えた場合、国民一人ひとりが常に政治に関心をもっている体制は、いい体制ではないのです。それでは生産活動が疎かになってしまうからです。

本来、市民社会は、代議制民主主義とパッケージになった考え方です。職業政治家を選出したら、政治は彼らに任せて、国民は基本的に関与しない。そして経済的な欲望や、文化的な欲望を追求するわけです。その結果、社会が発展することによって納税する基盤もできてくる。それで経済も文化も発展し、国家も安定的な運営ができるというのが、市民社会の考え方のはずです。今はネット社会ということもあいまって、直接民主制の希求が一部の論者から言われますが、何でもかんでもみんなが投票して決めるのでは、普通の人々が常に政治に巻き込まれることになります。本来、一般市民は自分とその家族を養う仕事を第一とすべきです。そうでないと社会は成り立ちません。

民主主義は民意を代表しているけれども、代表制民主主義であって、エリートと大衆という二分法が実はあるのです。だから民意によって選ばれた代表は、政治エリートです。普通の人たちの連続線上にあって、世のため人のために働く人たちであるわけです。この人たちに日々の政治は任せるというのが民主主義のルールです。

もう一つ、政治エリートによって運営される官僚エリート群が、資格試験で選ばれた知力、技術力において抜きんでた人たちだという建前になっている。とくに外交安全保障というのは、国際基準においても、皮膚感覚においても、高度の専門知識を持ったエリートが必要になる分野です。世界の中のエリート層の間で行われるゲームともいえます。特殊なジャルゴン（専門語）があって、特別な文化、マナーがあるということになっている。

ところが、いまはモラル、能力の双方においてその前提が崩れています。民主主義が危機的になる、衆愚政治になるというのは、言いかえればエリートの否定です。ポピュリズムはエリートを認めない。だから専門知識の欠如した民衆が直接に専門家的領域に入ることができると思われてしまう。直接民主制への希求もその現れでしょう。

脱原発の議論に関しても、日本のエネルギーについて原子力発電をメインに考えるか、あるいは脱原発の方向で考えるかという基本的な方向性に関しては、民意は絶対必要です。しかし、いま個別の、柏崎とか玄海原発とか大飯原発が検査で止まった時に、それを再稼働させるかどうかに関しては、国民全体の声はもとより、政治も関係なく、本来、純技術的な判断によって専門家が議論して決めればよいことです。しかしそれができなくなってしまっています。ヤラセだとかウソだとかで、エリートや専門家のやることが信用できなくなっている。日本の国家機能が弱体化している証です。

これはやはり冷戦崩壊で資本主義の力が強くなりすぎた結果です。貨幣の論理がどんどん強くなった帰結です。貨幣は基本的にエリートを認めないのです。貨幣は計量できるし、分割可能で、力のあるなしは、どれくらい集めるかという、数の論理しかない。百円しか持たない知識人より、利口だろうが愚かだろうが一万円持つ人がエライというのが貨幣の世界の論理です。

だから小沢一郎氏のやっていることは、市場原理主義と親和的な政治手法です。数こそすべてで、亡くなった西岡武夫参院議長や、海江田万里氏などを総理大臣にしようとした。

そこには、総理大臣はエリートでなくてはいけない、資質と訓練が必要だという発想がまったくない。あるいは、官僚政治の打破を唱えながら、官僚がいれば総理が誰でもなんとかなるという、官僚のエリート性の神話をまだ信じているのかもしれない。その意味では、小沢氏は旧来的な政治家だということが見えてきています。

小沢氏の力が急速に翳ってきたのは、時代の危機を切り抜ける力を使い果たしたことが国民にわかってしまったからでしょう。実は小沢氏自身もそのことに気づいている。本来だったら、政治資金規正法違反容疑の裁判で石川調書が却下されたところでもっと積極的に活動を始めるはずです。それをしなかったのは、風向きは決して自分に有利ではないと皮膚感覚でわかっているからではないでしょうか。そして実際に一審で無罪判決が出ても、小沢氏への国民の期待は高まりませんでした。

政治も経済もあらゆる面において機能不全をきたし、民主主義と国家が危殆にひんしているのが、いまの日本の状態なのです。そのことに、国家の本能が気づいている。だからなんとかしようと、さまざまな動きがあちこちからバラバラに噴き出している。

東京大学の秋入学も、橋下現象も、天皇のビデオメッセージも、一見全然関係なさそうなことが、国家という補助線を引くとつながって見えてくるのです。

『資本論』で読み解くグローバリゼーション

第一章で述べた賃金が上がらない、就活がきびしい、年金が破綻する、老後の生活が不安だ、といった問題は、端的に言って経済成長がないからです。小泉政権時代の郵政選挙でも、橋下さんの大阪市長選挙でも、投票した人たちは、よくわからないけれど何かに対して苛立っているのでしょう。

しかしある意味ではその解決は容易なのです。マルクスの『資本論』（第一巻が一八六七年）を読むことです。いまどき『資本論』かと思わないでください。『資本論』を革命の書として読むと人生を間違えますが、資本主義分析の本としてはきわめて優れている。資本家どうしの関係において、損失の負担の押し付け合いは折り合いがつかず激しい争いになるが、利潤の分配に関する資本家の抗争は折り合いがつくとマルクスは言っています。その応用で、経済が成長すれば、相当な問題も折り合いがつくのです。

要するにゼロサムゲームではケンカが起きて収拾がつかなくなるけれど、利益の分け前をめぐっての争いは話し合いで何とか片が付く、ということです。

日本がこの時代を生きのびるためには、総合的な知力が必要です。バラバラな分野について細かいことを知っていても、生き残るためにはほとんど役に立たない。いま日本にある知識を、日本の生き残りのために繋げて総合的な教養に、ひいては人間の叡智にしていかなくてはならない。

それは個人においても同じです。資本主義が猛威をふるっている時代に生きなければならないのですから、また資本主義に替わるシステムも見出せないのですから、まず資本主義とは何かを知る必要があります。それには『資本論』は格好のテキストなのです。

優れた古典は複数の読み方を可能にする

『資本論』に限らず、すぐれたテキストというのは、すべて複数の読み方が可能なのです。複数の読み方で、すべて整合的に読める。『聖書』でも『太平記』でもそうです。

ちょっと脇道にそれますが、南北朝の『太平記』はアカデミックな実証においては、北朝側の書物だということがいまはほぼ確実になっています。北朝の人たちが、なぜこんなに天変地異が起きるのか、天龍寺までつくってなだめているのに、どうして内裏に雷が落ちたりするのかと、坊さんやインテリたちが集まって考えて、これは南朝の人たちの、とくに後醍醐天皇の霊が鎮められていないせいではないかということになった。鎮めるには、南北朝の騒乱で起きたことをできるだけ正確に記すことだ。そうすれば鎮魂になると考えて書き始めた。そのためには、南朝がやったこともきちんと書かないと鎮魂にならないので、北朝の立場から南朝を貶（おとし）めることは書けないわけです。そうしてテキストが残り、しかも全体のうちの一巻が欠けてしまったので、通読しても何を言おうとしているのかわからない。

かつては後醍醐天皇方の楠正成やその子の正行（まさつら）の活躍などがいろいろ書かれているから、これは南朝側のテキストではないかとずっと見られていたのです。ところが、読めばいきなり巻第一で、痛烈な後醍醐批判をしている。北条高時が臣下としての身分を守らず、後醍醐も天皇としての徳に欠ける。女性関係にだらしのない後醍醐が、内裏の女性からのアドバイスによって政策を練るということが散々書いてある。だからこんな混乱がおきたのだというのです。これはやはり北朝側のものだろうというのが学会の定説になったのですが、一見すると南朝からの歴史書とも読める。このように、優れた古典は複数の読み方ができるわけです。

『資本論』も、同じように複数の読み方が可能で、世界でいろいろな読み方がある。たとえばポスト構造主義で必ず出て来るルイ・アルチュセールにも、『資本論を読む』（一九六五年）という著書（共著）があって、彼も資本論読みからスタートしているのです。

宇野経済学が教えてくれるもの

日本では一九三〇年代に日本資本主義論争があったので、『資本論』は戦前から多くの知識人に読まれました。その中から宇野弘蔵（戦前は人民戦線事件に連座し逮捕され無罪。戦後は東京大学教授）というマルクス経済学者による独特の資本論読みが出て来る。私はこの宇野経済学が、現在でも通用する読み方だと思います。

『資本論』の冒頭に「われわれの研究は商品の分析をもって始まる」（向坂逸郎訳）とありますが、この商品を資本主義的な商品として読むか、それともすべての時代に通底する商品として読むかで、読み方はまるっきり変わってしまいます。すべての時代の商品と読むと、『資本論』は革命の書になる。たしかにそう読むこともできる。ただ、それは相当無理な読み方だと思います。宇野弘蔵は、商品一般ではなくて資本主義社会から抽出された商品であると読みました。私も同じ見解です。『資本論』を素直に読めば、これは資本家になる見習いの人間を相手に書いた本だと思えます。資本主義はこういうふうに発展するのだという論理が書いてある。

その論理のカギになる概念が、「労働力の商品化」です。人間が働く能力は、本来商品にされるものではなかったのに、商品にされたというのはどういうことか。労働者は働いて賃金をもらいますが、その賃金は三つの要素から成り立っている。

一番目は、一カ月生活して、家を借りて、ご飯を食べ、服を買い、いくばくかのレジャーをする。それによってもう一カ月働くエネルギーが出て来る。そのための費用です。

二番目の要素は、労働者階級の「再生産」。すなわち、子供を産み、育て、教育を受けさせ、労働者にして社会に送り出すまでの費用が賃金に入っていないといけないのです。独身者の場合は、将来のパートナーを見つけるためのデート代が入っていないといけない。そうでないと資本主義システムの再生産ができない。

三番目は技術革新に対応するための教育の経費です。資本主義には科学技術の革新が常にある。労働者がそれに対応するための自己学習の費用が入っていないといけない。

その三要素がないと資本主義はまともに回らないのです。ところが個別の資本は、少しでも搾取を強めようとする。だから二番目、三番目の要素は切られてしまいがちです。一番目の要素もどんどん切り詰めて行く。それによって搾取率を強化する。資本とは本来そういうものです。搾取は、不正なことではないのです。労働者は嫌だったら契約しなければばいいのだから、収奪ではない。収奪というのは、たとえば米を十トン作ったら地主が来て、そのうち六トンを持って行く。出さないと殺すと言う。これが収奪ですね。搾取は資本家と労働者の合意の上で成り立って、システムの中に階級関係が埋め込まれている。だから自由平等といいながら自由でも平等でもない実態は、社会構造を見ないとわからないというのがマルクスの主張です。ちょっと難しい言い方でしょうか。要するに経営者がいい人、悪い人というのは別の話で、資本主義というシステムにおいては、労働者の取り分が減らされることは避けられないということです。

なぜそうなるのでしょうか。その根本には交換の問題があります。私がボールペンを一本しか持っていなければ、それを交換に差し出すことはできませんが、大量に持っている人は、十本出して交換に灰皿を一つもらおうとする。しかし灰皿を持っている人は、ボールペンが欲しいかどうかわからない。市場というのはそういうお互いのにらみ合いで成り立っているわけです。そこから、特殊な商品が生まれてきます。『資本論』では「一般的等価物」というのですが、たとえば煙草。みんなが煙草を必要とするところでは、ボールペンを一回煙草に換えれば、それをまた灰皿に交換できる。実際にソ連末期、ルーブルの貨幣としての価値がほとんど失われ、同時に厳しい外貨管理のためにドルも使えなかった手に入れる。

とき、モスクワ市民は貨幣の代わりに煙草のマルボロを一般的等価物として用いました。あるいはかつての日本だったら、一回米に迂回して、その米と交換に自分の必要なものを手に入れる。

次にその一般的等価物の役割を一手に引き受ける貨幣が出てきます。貨幣は必ず金か銀になる。貨幣と商品の交換となると、貨幣と商品の立場は平等ではありません。非対称のことが起きます。マルクスはシェイクスピアの『夏の夜の夢』（第一幕第一場）から引いて恋愛にたとえるのですが、「まことの恋がおだやかに実を結んだためしはない」（福田恆存訳）。つまり商品はお金を愛する。商品を持っている人は、それをお金に換えたい。しかし、必ずしも売れるとは限らない。一方、お金は必ず商品を買える。恋愛でいえば片想い、この非対称性をマルクスは「商品体から金体への飛躍は、商品の生命がけの飛躍である」（向坂訳）というわけです。そのことを普段はごまかしているのですが、ごまかせなくなる危機が恐慌です。恐慌とは、皆が一斉に貨幣を熱愛し、お金の価値が極端に高まる状態といえるでしょう。

ここで考えないといけないのは、お金（かつては金や銀、いまは貨幣。しかし恐慌になると金の値段が上がるのは興味深いところです）というのは人間と人間の間の社会的関係だということです。にもかかわらず、お金を持っていれば、実際問題として欲望を満たすことができる。そうすると、お金自体に価値があるように思えてしまう。するとこれが物神崇拝の対象になり、宗教になる。しかも、それは考え方を変えれば変えられるような事態ではないのです。お金は実体として力なのです。そのお金を遊ばせておくのではなく資本として投資すると増えて行く。増やす形で運営するのが資本主義の良心だということになります。だから資本家は人間関係も考えず、金儲けに走って行く。自然を侵してでも金儲けに走り、それとともに社会が急速に発展していったとマルクスは分析したのです。

国家なきグローバル経済など成立しない

『資本論』の論理を解析すると、結局こうなります。

社会には三つの階級しか存在しない。まず資本家と労働者（資本家と労働者というのは、個別の社長や社員を意味するわけではありません。そうでないと日本の大企業に多いサラリーマン社長は資本家なのか労働者なのかわからなくなってしまいます）。資本家が労働者の労働力を買って、労働力と原料を使って生産させ、そこから生まれた「剰余価値」を得ようとする。ただし剰余価値を全部自分のものにはできない。ここに地主が出て来る。地主は土地を貸して「地代」をとることができる。地主論は、当時マルクスがどう考えたかは別として、すごく重要です。というのは、土地は空気とか水とかも全部含んだ環境を意味するのです。環境制約性です（環境問題は資本主義の暴走を止める一つの要素となりうるのです）。資本によっても、労働力によっても、環境はつくれません。逆に、環境制約性が資本主義に取り込まれると、環境を支配するものはそれだけで金を取れることになる。これが地代です。資本主義社会は資本家と労働者と地主の三大階級だけでまわるシステムなのです。

この議論には国家がありません。国家はシステムの外側にあるのです。ではどこから国家はこのシステムに入っていくのでしょう。おそらく『資本論』の論理からすると鋳貨、国家による貨幣の保障からです。

金か銀があるとして、これを貨幣とするときに刻印を捺す。なぜなら、金は使っているうちに摩耗するから、一キロあったものが九百九十九グラムになってしまう。その場合、一グラム減っても、貨幣の刻印が捺してあれば政府が価値を保障するわけです。ここから経済プロセスへの国家の介入が始まるのです。そして九百九十九グラムでも国家が刻印を捺して保障するというなら、仮に五百グラムになっても、百グラムになっても、一グラムになっても、最終的にはゼログラムになっても国家が刻印を捺せばいいではないかということになってくる。こうして現在、私たちの社会に流通するペーパーマネーが誕生したわけです。これが管理通貨制度の根本です。ペーパーマネーになって実体から離れてもマネーが流通するのは、国家による裏打ちがあるからなのです。資本主義の交換メカニズムの中に国家が必ず必要な根拠が、刻印にある。何かあったときに、国家の暴力の裏打ちによって経済の信用システムの保障ができるわけです。素手で経済活動をしているときに、暴力で「よこせ」という者が来たら防ぐことができない。そうなると経済活動なんか意味ないのです。経済活動よりも、腕力でいつでも略奪できる態勢をとった人間が勝ちだということになるから。となると、実は市場が成り立つために国家が必要なのです。

マルクスはそこまではテキストの中では言っていませんが、マルクスの論理を突き詰めて考えると、逆説としての国家が出て来るのです。『資本論』はデビッド・リカードの『経済学および課税の原理』（一八一七年）の構成をほぼ真似ているのですけれど、リカードの本では課税の問題が半分を占めているのに、『資本論』には課税の部分がない。税について語らないことによって逆説的に国家を語っているわけなのです。

そうすると実は、柄谷行人氏が非常にうまく解析したのですが、資本主義システムは四大階級制なのだということになる。資本家、労働者、地主に加え、官僚がいる。官僚階級というのは社会の外側にいて、社会から収奪する。国家の暴力を背景にして、「よこせ」と言って取る、それが租税なのだということです。だから資本家も労働者も地主も、みんな官僚が嫌いです。

そうすると、いまグローバル資本主義は国家を超えるというようなことが言われますけれども、それはあり得ない。国家を与件としてでなければ資本主義は発展できないのです。勝手にものを取ってくるやつがいるシステムでは社会は発展しない。取ってくるやつの行動を規制して、市場という形で動かせるような枠をつくらないといけないのです。

ただし国家は独自の原理で動き出しますから、自由経済が有利なら自由経済にするし、保護主義が有利なら保護主義にするし、戦争で他国から収奪するのが有利だったら戦争をする。覇権国（今ならアメリカ、かつてはイギリス）が自由貿易を唱えるのは、自由貿易が万人にとって素晴らしいからではなくて、力の強いものにとってそれが一番有利だからです。北朝鮮のように、ミサイルをつくり、核兵器をつくり、それが嫌なら金を出せということもある。すべてそれは国家の論理に忠実なのです。

マルクス経済学の真価

いまグローバル資本主義の危機といわれるのは、マルクスのいう「労働価値説」から極端に離れてしまったことの一つの結果です。つまり、ものの価値にはそれを作るために投入された労働力の裏打ちがあるというのが労働価値説ですが、金融技術でどんどん水増しして遣り取りし、しかも、デリバティブ（金融派生商品）などによって未来からのお金も使えるようになった。未来を投機の対象にしてしまったのです。これは十七世紀のチューリップ恐慌に近い状態です。オランダでチューリップの花や球根にすごく人気が出て、チューリップをつくれば儲かるという状態になり、みんながチューリップ投資、チューリップの先物取引に夢中になったあげく、ある日バブルは崩壊しました。『資本論』の恐慌を論じるところにこの話が出てきます。日本の土地バブルも米国のサブプライムローンのバブルもみな同じです。

恐慌とかグローバル資本主義の危機とかを理解するためには、近代経済学ではなくて、マルクス経済学のタームのほうがいいのです。理由は簡単で、貨幣を絶対的なものとしないからです。貨幣は人間と人間の関係から出て来たものだという、貨幣の起源についての視野があるからです。古典派経済学もそれは持っていたのですけれど、新古典派以後、なくなってしまった。

ただ問題は、マルクス経済学のジャルゴン（専門語）が日本でもうほとんど通じなくなってしまった。その中でどういう風に分かりやすく説明するかです。もう一つは、マルクス主義者とか左翼の人たちが、『資本論』を本当はほとんど読んでいないか、めちゃくちゃな読み方をしていたことです。

一方における富の集積が、他方における貧困の集積になって、それに対して人間の抵抗が必ず爆発し、最後の警鐘が鳴って、革命が起きる――そういうほとんど「ノストラダムスの大予言」みたいな変な読み方をする。たしかに『資本論』の一部にそういうことを言っているところもあるのですけれど、論理を追って『資本論』を読むということを左翼の人はしていないのです。これは、ファンダメンタリストのクリスチャンが聖書をいくら読んでも聖書の論理がわからないのとよく似ています。

ゼロ成長社会脱出の処方箋

デフレがつづき経済成長が止まった現在の日本では、このまま行くと賃金の三要素の二番目と三番目がつぶれてしまいます。

たとえば民主党の前原誠司氏のような人を例に考えてみると、前原さんのお父さんは、彼が中学生のときに自ら命を絶っています。いま、中学生でお父さんが自殺したら、前原さんと同じように高校、大学と奨学金で通い、お母さん一人が事務の仕事をして子供たちを育てるということが可能な社会なのか。前原さんは京都大学に行って、学習塾講師や家庭教師をしながら卒業し、お金を貯めて車まで買ったそうですが、それが現在の日本でできるのか。前原氏は成長時代の落とし子なのです。彼が成長政策にこだわるのは、おそらく自分のような環境の人間が政治家になれたのは、成長時代に育ったからだという認識があるからでしょう。橋下徹氏も同じで、両親が早くに離婚し、お母さんに女手一つで育てられ、早稲田大学を卒業し弁護士になることは現在の日本で容易でしょうか。いまだったら十分な教育が受けられなくて、弁護士になるのも大変だったのではないか。橋下さんが教育政策にあれだけこだわるのは、それがわかっているからでしょう。

アメリカのウォールストリートで起きた「アメリカ国民の九九パーセントを占める貧困層」を自称する人たちのデモも、リーマン・ショックを機に経済成長が止まったことが原因です。とくに大学卒業者の失業が問題なのです。大学を卒業したけれど仕事がなく、路上生活をして、スターバックスのゴミ箱をあさるようなことが起きていると、社会暴動を招くことになる。

日本ではいまや従来の常識と逆の学歴詐称問題が起きています。修士号を持っているのに、それではコンビニでバイトに採用されないので高卒と称する。市役所に勤めるときに、大卒なのに高卒だという。詐称には違いないので、こういうことがあちこちで露見して問題になっています。大学を出てないのに出たといって、卒業証書を見せろといわれて困るという学歴詐称は二十年くらい前のことで、いまは話が逆になっている。

つまり知的な訓練を受けた階層が、与えられるべき場所を与えられていないのです。彼らにはその苦境を言語化する能力があるので、社会に訴えることになる。ネットというツールを使いこなせるし、デモなどの街頭行動にも出て行く。先進国の社会は暴力に対して異常に弱くなっています。だから逆に暴力団排除条例のようなものも必要なわけです。ヤクザが来ても「お前何を暴れているんだ」とスナックのマスターがぶん殴ってつまみ出すような文化が浸透した社会ならそんな条例はいらないのですが、先進国ではそうはいきません。デモなどの直接行動の限界効用は高い。だから大きな騒ぎになるのです。

その点、ロシア人は暴力的な行動にはほとんど出ません。デモをするにしても平和的で、火炎瓶を投げたり、投石したりしない。暴力装置としての国家がどれくらい怖いかよく知っているからです。稚拙な形の暴力行使をした場合、圧倒的に強力な国家が暴力を剝き出しにする口実になる。スターリン時代以来の恐怖の記憶がロシア人には染みついているのです。

このゼロ成長社会の問題点については、理論的にはもう整理されています。『資本論』とともにユルゲン・ハーバーマスの『晩期資本主義における正統化の諸問題』（一九七三年）をお勧めします。いまの日本のような状況を理解するために有効です。

ハーバーマスはこんなことを言っています。資本主義は成長が止まってやがて終わりが来るように見えても、実は終わりは来ない。ではゼロ成長に対する処方箋はというと、エリートの学級会のようなものをつくり、かれらが大衆を指導する。能力のあるものの才能を伸ばさなければならないが、同時に能力のあるものは自己抑制して、富を再分配しなければならない。われわれは銭金しか念頭にない下賤な連中とは違うヨーロッパ人だ。ヨーロッパは巨大な一家だから、ナチスが使った「血と土」とかいういい加減な神話ではなく、対話的な理性を用いてきちんとやる。誰かとくに偉い人の言うことを聞くのではなく、学級会方式の対話で人間の力を引き出す。学級会に耐えられるように、みんな成績を上げて、良い子になりましょう。良い子でない子は、教育で良い子にする。そういう理論です。

裏返すと、そこについて行けない人は、カテゴリーの外として排除されることになります。そして外部から収奪する。ハーバーマスは日本では良識的な知識人ということになっていますが、典型的な帝国主義者と言えます。外部の世界に公共性があるのかどうかわからないが、自分たちにとっては欧米が問題なのであって、それ以外のところについて考える余裕などないという、身も蓋もないヨーロッパ中心主義です。

ハーバーマスが日本に来たとき、公共圏（コミュニケーションが可能な社会空間）が日本でも成立していると知って大変驚いたと言ったそうです。それを聞いて日本人はみんな褒められたと勘違いしたのですが、それはヨーロッパ中心主義の裏返しだったわけです。

日本の場合、学級会のようなことをしても軋轢が生じるだけで何も決まらず、あまりいい処方箋は出てこないのではないかと思うのですが、それでもエリートを強化することは大事です。

エリートの強化しかない

ポピュリズムに対抗するにはエリートの強化しかないのです。言いかえれば専門家の強化で、素人が専門的な問題にくちばしを差し挟むことを抑制する文化をきちんとつくることです。知的エリート、パワーエリートが国際基準のインテリになり、ノブレス・オブリージュを果たすことができるかどうかに成否がかかっている。

私のいうエリートとは、いわゆる偏差値エリートのことではありません。自分のいる場所を客観的に認識して、それをきちんと言語で説明できるのがエリートの条件です。人間の叡智を備えた人々のことです。

エリートというと、社会の上層というように勘違いするむきがありますが、エリートは各層ごとにいるし、いなければならないのです。下士官のエリートもいるし、小隊長のエリートも必要です。小隊長としてはエリートの機能を果たすけれども大隊長としては無理な人もいる。あるいは参謀総長としては有能だが中隊長としては能力を発揮できない人もいる。エリートは多重であって、それぞれ求められる資質が違うので、多様性の中の一致が必要なのです。ドイツの神学者ニコラウス・クザーヌスの「全一性」のような考え方です。世の中全体が一つであるし、小さく分割したときの一つひとつも一つ。一つという言葉に無限の相があるのです。

ノブレス・オブリージュについて真剣に考えている人は、私の反対する新自由主義者といわれている人の中にも少なくありません。竹中平蔵氏にしても、経産省を批判して辞めた古賀茂明氏にしてもそうです。こういう人たちは哲学や思想の専門家ではないので、現下エリートの主流である新自由主義的な言葉を用いて物事を説明します。それだから新自由主義者というレッテルを貼られやすいのですが、こういう人たちの中にも社会構造の中の大衆化の問題を理解している人が多くいます。

第5章　橋下徹はファシストか

ハシズムとファシズム

前章では暴走する資本主義の問題点をマルクスの『資本論』をテキストに考えてきました。本章では民主主義の問題を考えていきたいと思います。

ヨーロッパでもアメリカでも日本でも先進国はみな財政の危機に直面しています。とくにユーロ加盟諸国では、財政の健全化を求める政府と、生活に不安を覚える一般国民との緊張関係が高まっている。緊縮財政を進めるギリシャでは与党が選挙で敗北し、フランスのサルコジ大統領も「ノー」の審判を下されました。イタリアのベルルスコーニ大統領も退陣を余儀なくされ、オランダも同様です。ドイツ以外はいずれも経済の低迷が政治に波及し政権が弱体化、各国で極右政党が台頭しています。民主主義の危機が叫ばれているわけですが、日本はどうか。

今後の日本政治を占う上で重要な政治家、橋下徹氏のブームと民主党を題材に、民主主義とは何か、そしてファシズムとは何かについても考察したいと思います。

〝ハシズム〟などと称してファシズムになぞらえながら、橋下大阪市長のやり方は独裁だ、民主的ではないという批判が多いのですが、この批判は論理が破綻していますので私は与しません。

橋下氏は民主的なのです。民主主義は、内容の前に手続きが肝腎なのです。正当な手続きを経て一つのことが採択されたら、それを強制力を発揮して実現するのが究極の民主主義です。民意によって選ばれた首長が定めた規則があり、民意によって選ばれた議会が定めた規則がある。それには強制権があります。

その意味では、橋下氏の最大の問題は、徹底的な民主主義者であることです。民主主義が機能不全を起こして、社会の力をうまく吸い上げることができないでいる。だから、強権的に、手続き上決まったことだからといって強制しよう、とするわけです。民主主義を徹底せよ、というのが橋下さんの主張です。

もともと、民主主義と独裁は矛盾しないということを確認しておかなければいけません。

たとえばある国に百人の議員からなる国民議会があるとする。その百人を定数削減で九十九人にしたら、国民議会は民意を代表するといえなくなるだろうか。そんなことはありません。すると、もう少し議員を減らし、八十人になったら？　五十人になったら？　いや三人だったら？　二人だったら？　究極的には、一人にしても同じではないかということになる。

代議制民主主義は、本来、独裁への道を開く可能性をはらんでいるわけです。日本が独裁の方向に進んで行くとしたら、それは民主主義の危機ではなくて、民主主義が純化されようとしているのだと思います。

橋下ブームは実は民主主義の危機ではなくて、自由主義の危機だと思うのです。「自由」と「民主」は、逆のベクトルを向いています。自由とは、究極的に、人間は何をしてもいいのだということ。言いかえれば、愚行権が自由主義の根本です。誰もが愚かなことをする権利がある。

ただ、一つだけ制約条件があって、それは他者に危害を加えてはいけないという、他者危害排除の原則です。自由権のポイントになるのは、信教の自由も含む内心の自由であって、表現の自由も、本来、表現しないことの自由でもある。自分が何を考えているのかを告白することを公権力によって強制されないことです。それを選挙権に適用すると、棄権の自由になります。実は民主主義システムにおいて権力者に一番脅威となるのは、棄権です。その証拠に共産党政権下のソ連だってちゃんと選挙は行われていて、前に述べたように投票率はほぼ一〇〇パーセントでした。

仮にどこかの選挙で、どの候補も駄目だ、この選挙自体を認めないということで、投票に行く人が五パーセントを切ったら、もう民主的な委任を受けたとは言えなくなるでしょう。だから、沖縄防衛局長が宜野湾市長選挙について職員に講話し、宜野湾市在住の親族にも投票を呼び掛けるよう依頼していた問題でも、投票に行くようにと話しただけだから構わないという議論がそのまま通ってしまったのはおかしい。本当は、選挙に行けということも、一切強制されてはならない。それは棄権という自由権の侵害なのですから。

「民主」と「自由」はぶつかり合います。経済が停滞して国家財政が危機的な状況だから自分の財産を国に差し出しますという人が多数だったら、増税は可能です。民意を国家が動員できている状態です。だれかが、私は税金を払うのは嫌だ、といってもダメです。強制的に徴税される。それが「民主」です。究極的には、戦争で国家のために死にますということになる。

しかし国家財政が危機的でも、その改善にみんなが反対、あるいは関心を払わないのであれば、民主主義の原理ではなくて、自由主義の原理で行動していることになる。

「家政婦のミタ」が示すもの

新自由主義は、主に経済面で「自由」を極端に重視する考えで、財政問題の解決もマーケットの自律的な調整に任せてしまおうというのですが、果たしてどこまで調整できるのか。なぜならマーケットにも「文化」の問題は存在するからです。

たとえば、大学を卒業して介護労働の現場に行く人はいますが、大卒で家政婦になる人はあまりいない。やっている仕事はほとんど一緒か、介護労働のほうがハードワークなのに、何が違うのか。しかも賃金は介護労働より家政婦のほうがいいかもしれない。ここには文化的な価値の問題があって、介護労働は「魂の労働」だと社会学者の渋谷望氏は説明しています。人の心をケアしてあげる特別な価値のある労働だという要素が加味されているから、賃金が安くても働く満足が得られるということになっている。

若い女性がコンビニのレジ打ちをやる。スナックでカウンターの中に入ってアルバイトをする。クラブで、カウンターの外でお酒を注ぐ職に就く。それからソープランドで勤務する。その四つとも、労働そのものの大変さはそんなに変わらないと思うのです。しかしソープランドなどの風俗店で働くと賃金が上がるのはどうしてか。それは魂の労働と逆で、そういう労働が卑しいという負の価値があるからです。

新自由主義ではその文化的な価値を説明できない。新自由主義だけではありません。マルクスも同様です。私はマルクスを読んでいてそのことに気づきました。マルクスは、イギリス人とアイルランド人の労働者の賃金が違う理由は、イギリス人はパンを食べているのに対し、アイルランド人はイモばかり食べているからだと考察しています。アイルランドに対するイギリスの差別的な構造がマルクスには見えていないのです。経済学では新古典派経済学もマルクス経済学も文化の問題、つまり二章で説明した実念論、「目に見えないもの」がまったく見えないのです。

少し前に「家政婦のミタ」というテレビドラマがヒットしました。あれが受けた背景には、この文化的なバリアを断ち切りたいという衝動があると思います。日本の資本主義システムを強化するためには、家事労働も資本主義化してしまったほうがいい面もある。富裕層の人たちが家事労働をする人を雇って、自分たちは他の仕事をするか、あるいは余暇を楽しんで消費を増やす。そのほうが経済が活性化する。テレビで流行るドラマをバカにしてはいけません。一種の時代の転換を表しているのです。家政婦も面白い仕事だぞ、と思ってほしいという日本社会の集合的無意識がある。たとえば「ハケンの品格」が流行ったら、派遣労働も人生の選択の一つとして広がりを持つというふうに変わっていく。

だからインテリジェンスの世界の人間は、視聴率の高い連続ドラマを見るのです。私がモスクワにいたときは、ロシアのテレビはメキシコのソープオペラばかりやっていた。

「金持ちも涙を流す」というのがあって、要するにロシア社会の中で格差が急速に広がっていくときに、金持ちも涙を流すというのを見て、やはり人間は一緒なのだと思おうとしていたわけです。

「友愛」と「絆」と中間共同体

いまは日本もグローバル資本主義の浸透によって、格差の広がる危機に陥っています。自由を追求すれば一人ひとりがバラバラになり、徹底すれば無政府主義に至ります。それに対して、橋下さんのように民主主義の手続きを踏んで決めたのだから従えというと、民意による多数派の独裁になりかねない。

「自由」と「民主」にどう折り合いをつければいいのか。そこで大事になってくるのが、「友愛」だと私は考えます。お互い友達じゃないか、仲間じゃないか、あんまり我を張るなよ、そこまでやったらやりすぎだよという、なあなあの精神が友愛です。

友愛、つまり仲間意識を育てるには、中間共同体が必要です。労働組合とか業界団体とか、宗教団体とか、地域の寄り合いとか、クラブやサークルでもなんでもいいのですが、日本ではここ二十年、そうした中間共同体を新自由主義の流れのなか、「既得権益層」として排除ないし弱体化させてきました。いまの日本社会では友愛原理が機能しなくなっている。

二〇一一年の東日本大震災以来、「絆」という言葉が使われるようになりました。あれも友愛です。しかし、実は東日本大震災が危機の解決を先延ばしにしてしまったのかもしれない。近代社会では本来、相当に知的な操作を経ないと成り立たない「絆＝友愛」が簡単に成立したような幻想に陥ってしまった。

もし本当に絆ができているのだったら、放射能汚染瓦礫の処理の押し付け合いが起きるとか、原発の中間処理施設の問題が解決しないのはおかしな話です。「絆の物語」は新しい時代を築くストーリーにならなかった、とそろそろ冷徹に認めなければいけない時期に近づいていると思います。

友愛は鳩山由紀夫さんの専売特許ではなく、フランス革命のとき、スローガンとして「自由・平等・博愛（友愛）」が掲げられました。自由の方向だけで進んでも、平等（民主）の方向だけで進んでも恐ろしいことになるから、友愛で調和するということだった。博愛というと万人を愛するみたいな感じで、コスモポリタニズム的ですが、原語はフラテルニテ（fraternité）ですから、兄弟や仲間を大事にするということで、絆であり友愛です。実はファシズムもここから出てくるのです。

ファシズムと河上肇『貧乏物語』

ここでファシズム（ハシズムではありません）とは何かを考えてみます。京都大学の経済学部教授だった河上肇が書いた大正期のベストセラー『貧乏物語』をいま読み直すととてもいいと思います。これは河上肇がマルクシストになる前に、大阪朝日新聞に連載した作品です。

この本のなかで河上は、現在世の中にある貧乏は従来の「稼ぐに追いつく貧乏なし」という日本型の貧乏とは違う舶来の貧乏だ、といっています。資本主義システムが急速に入ってきたために起きたもので、現代の言葉にすると、格差にとどまらない構造的で絶対的な貧困が生じてしまった。その貧困層に落ちると、自分の力ではどんなに頑張っても這い上がれない。高度に進んだ資本主義国イギリスの格差を、河上は図表で統計処理しています。

一九〇九年のイギリスでは総人口の二パーセントの最富裕層に国富の七一・七パーセントが集中し、総人口の六五パーセントを占める最貧層に一・七パーセントしか国富が分配されなくなっていた。そのような状況を改善するための方法は一つしかないと河上は言う。金持ちが自分たちの贅沢のために使う支出を抑制して、その分を最貧層に再分配することだ、と。

それに対して、理論がない、そんな温情論で世の中の問題が解決するはずがないではないか、社会構造を理解していない、科学的ではないと、マルクス主義的左翼からさんざん叩かれました。反省した河上はマルクス主義に傾斜して、つまらない人間になっていくわけですが、『貧乏物語』で提示している処方箋は、実は一種のファシズムなのです。

資本主義が発展して巨大化すると、実物経済より金融を優先する金融資本主義になる。この理論はレーニンであろうが、ケインズであろうが、フリードマンであろうが、みんな一緒です。そうした資本主義のシステムから格差が出て来て、絶対的貧困を生む。絶対的貧困層になると、社会構造的貧困なので、そこから抜け出すことができなくなる。そうすると、労働者階級の再生産ができなくなる。つまり貧乏人は子供がつくれなくなる。貧しい家の子は教育水準が落ちてしまうので、新しい産業、技術革新に労働者が対応できず、労働者の質が落ちて、社会が弱り、国家も資本主義も弱る。こういうことを人類は経験してきたわけです。

それに対していくつかの処方箋が出されてきました。一つ目は、外部からの収奪を強めていくこと。帝国主義の処方箋です。

帝国主義は収奪するために常に「外部」を作り出していかないといけないのですが、それは必ずしも外国でなくてもいい。国内で差異を作り出してもいいのです。国内植民地というのもありうるわけです。たとえば沖縄は、確実に他県との差異が作り出されているので、国内植民地です。原発事故の福島にも、いま差異が作り出されようとしている。TPPも本質において、外部を作り出す運動です。アジア太平洋地域を囲って、その外部を作る。

二番目は、共産主義の処方箋。すなわち、資本主義そのものをやめてしまう。生産手段の私有をやめ、労働力を商品として売り買いすることをやめる。そうすることで新しいシステムを作れるのではないかという夢があったわけです。しかし失敗した。なぜかというと、たぶん、人間は性悪説で見るべきだからだと思うのです。人間は欲望をいくらでも肥大させるし、見張られていなければ怠けるし、他者より優位に立ちたがる。そういう性質は克服されなかった。新しい人間などというものは結局できないのです。

しかしこの共産主義のシナリオが成立しないからといって、どんどん格差が拡大していくような形で資本主義を野放しにしておくと、資本主義の自殺になってしまう。だから共産主義の処方箋が駄目だと分かった今、帝国主義的な方向に行くのは、ある意味で当り前なのです。そのため、いまは国家機能がどこでも大きくなっている。小さな政府といっているところでも、リーマン・ショック以前のイケイケドンドンでやっていた時代に想定していた政府と比べて、大きな政府になっているわけです。

そして、第三の処方箋としてのファシズムの可能性があると思います。ファシズム＝悪と思っている人が多いでしょうが、そう単純なものではない。

ファシズムは資本主義も社会主義も、両方を包括するカテゴリーといえます。ファシズムには、外部を作り出す力もあるし、格差を現実に是正する力もある。人間を性悪説で捉え、暴力装置である国家が乗り出すことによって雇用を確保し、所得の再分配をする。同時に、労働者には絶対に争議を起こさせない。ファシズムが生まれるのはそれだけの理由があるのです。

ムソリーニが「イタリアのために頑張る者がイタリア人だ」と言い、自分の持てる力を最大限発揮せよ、それが社会への貢献なのだ、と煽ったように、ファシズムはみんなで分けるパイを動員型で増やしていくことができるのです。「働かざる者食うべからず」「一人は万人のために、万人は一人のために」というスローガンで、所与の存在、すでにそこにあるものとして国家をとらえるのではなく、指導者と国民がともに作って行く生成するものとして国家を考えるということです。つまりイタリア人ははじめからイタリア人なのではなく、イタリアのため頑張った人がイタリア人になるのです。

ファシズムではないがポピュリズムでもない

さてここで橋下現象に再びもどります。橋下徹大阪市長の思想をファシズムに似た「ハシズム」だとする批判がありますが、これは間違っていると思います。

ファシズムは「束ねる」を意味するイタリア語のファシオ（fàscio）からきているように、味方を束ねて動員型政治を展開するところに特徴があります。橋下氏は敵と味方を際立たせる言葉で政治を活性化させてはいますが、デモや集会を組織するような動員型政治手法はいまのところとっていません。権力を握っている政治家、官僚、経営者が恐れるのは大衆動員で圧力を加えられることで、ムソリーニやヒトラーは大衆動員を権力奪取のために活用しました。橋下氏や同氏が率いる「大阪維新の会」にはこの要素はなく、むしろ動員の母体となる労働組合を排除する傾向があります。

また、ファシズムは社会的弱者に対して優しい。ただしそれは束ねられた同胞に対してだけであって、外側の「非国民」には敵対的な態度をとります。常に戦闘的精神を強調するので、排外主義的な外交政策をとりやすい。

　橋下さんはどうでしょうか。弱者に対する優しさと排外主義の両要素が欠けています。福祉予算は刈り込んでいます。外交・防衛政策では、「維新八策」を読んだ北岡伸一政策研究大学院教授が、「日米を基軸に、オーストラリアとの関係強化をうたっている。さらに韓国との関係強化も模索しているらしい。日米関係では、二〇〇六年の日米合意を推進する、日本全体で沖縄の負担の軽減を図る、日米地位協定の改定などが挙げられている」（『中央公論』二〇一二年五月号）と指摘していますが、これはアジア太平洋地域におけるアメリカの帝国主義的再編と合致しているし、民主党の前原氏などの政策を踏襲するものです。前原氏の外交・国防政策は、日米同盟を基本にして地政学を加味した現実主義です。排外主義的傾向はみられません。

　河村たかし名古屋市長が「南京事件はなかった」と発言して問題になりましたが、あれはどこまで自覚しているかは別として、彼の行き詰まりから出た策です。減税というスローガンが必ずしも国民の支持を得られず、ポピュリズム的な手法は、橋下大阪市長のほうが長けている状況で、河村氏は行き場がなくなってきた。そこで、金をかけずに権力基盤を拡大できる方策として、排外主義的なナショナリズムを持ち出した。

しかし南京市や中国政府がどう反応するかを考えると、名古屋市や愛知県の経済にとって不利益になるのは目に見えています。河村氏と政治的に親しいはずの大村秀章愛知県知事が「南京市との交流も止まるなど外交問題になっている。（河村氏は発言を）修正したほうがいい」と逆のベクトルの発言をしたのは当然です。河村氏は、このカードを切らないと生き残れない。しかもナショナリズムは早い者勝ち、より過激なほうがより正しいというカードですから、早く切らなければいけなかったのです。一定の層は味方に引き入れることはできるから、平沼赳夫氏、安倍晋三氏、石原慎太郎氏たちがサポートしてくれるという態勢をつくって、その上で橋下氏と連携交渉をしたいのでしょうが、橋下氏にはその気配は見られません。

橋下氏が沖縄の米軍普天間基地の県外移設の方針を急に打ち出したのも、そのほうが自分の権力基盤に有利になると思ったからで、一見ポピュリズムに走っているように見えます。

しかしこれはアンチポピュリズムです。「沖縄のわがままを許すな」というほうが本土においてはポピュリズムです。

橋下氏のやっていることはすべてにおいて差別を解消し、フラット化しようという方向です。大阪市バス職員の賃金引下げも、民間と同じ条件にしようという発想です。被差別部落についても、過剰な同和対策はフラット化に反するから同和予算を切るという。アファーマティブ・アクション（積極的差別是正措置）の行き過ぎも含めて差別に敏感だから、普天間問題の本質も差別だということがわかるのでしょう。沖縄に対する構造的差別が存在するのは客観的な事実です。ただしこの場合、経済的差別ではなく安全保障問題に関して他県と極端な不平等があるのです。それを解消するには在沖米軍基地の一部を沖縄県外に移設しなければいけないということになります。

遅れてきた新自由主義政策

むしろ私が本当に見極めたいのは彼の国体観です。橋下さんは「体制の変更とは、既得権益を剝がしていくことです」（『体制維新――大阪都』文春新書＝堺屋太一氏との共著、二〇一一年）と言っています。体制を可視的で機械のようなメカニズムと理解しています。したがって、市と府を合同して大阪都をつくってプログラムを構築すれば変えられるという発想になる。

しかし体制とは、メカニズムではなく、生物体のようなものなのではないか。動物を解体してもう一度組み立てても命は入らない。人々は必ずしも合理的に行動するわけではないから、動かすにはカリスマが必要だということも出て来る。日本の国家は天皇のいる生命体であって、メカニズムではありません。ところが橋下氏の政策はメカニズム的な了解の下でしか出てこない。前に述べた首相公選制なども、体制をメカニズムと考える構築主義からの発想ではないのか。私はこの点に危惧を覚えます。つまり前に述べた実念論の「目に見えないもの」への感覚です。

橋下氏は自らが進める改革を維新と表現しますが、明治維新は封建体制を、近代的な中央集権体制に転換する抜本的な改革でした。実質的にはブルジョア（市民）革命です。しかし橋下氏のいう維新は、せいぜい小泉政権が唱えた「聖域なき構造改革」の反復に過ぎません。

ただ、残念ながら小泉純一郎元首相には何の思想もなかった。一見、新自由主義を取り入れたようですが、それは何もしなくていいという政策だから取り入れただけなのです。他の政策は何かを積極的に構築しないといけないのですが、新自由主義は基本的に規制緩和ですから、何もしないことが政策になるわけです。すでにあるものをやめていくだけなら、どんな愚かな政治家にでもできることです。

新自由主義の弱肉強食の原理は、最強国に有利です。世界で一番強い国にとっては、既存のゲームのルールの中で競争することが有利に働きます。十九世紀のイギリスがそうでしたし、今ならアメリカがそうです。常に最強国が自由貿易を主張し、二番目以下の国は規制緩和によって、一番目の国に収奪されることになる。そうして格差が広がっていく。

末期の自民党政権はそれを社会に活力を生むことと勘違いしたのですが、国家という枠でしっかり守らなければ富は出て行ってしまう。日本人の中でも、金儲けに成功した者は外国に出て行く傾向にある。そこに国家が枠をはめなければいけないから、新自由主義の対抗原理としてナショナリズムが働くのです。

ただし小泉元首相の場合は、実質的なナショナリズムではなくて、イメージ操作で行なった。中国の反対を押し切っておこなった靖国参拝は、対米戦争のＡ級戦犯祭祀の問題だから、本当なら潜在的には反米ナショナリズムです。それを捩じ曲げて中国へと向けた。だからアメリカは心の底から小泉元首相を信頼して、尊敬していたのではないと思います。

橋下氏に話を戻すと、彼もまた規制緩和と自助努力を強調する市場原理主義（新自由主義）を支持しています。つまり看板は大げさですが、実際は一九八〇年代から繰り返し試みられた新自由主義政策と変わらない。橋下維新とは「遅れてきた新自由主義政策」と言ってもよい。

しかし四半世紀の間その方向に進んだあげくに、日本も世界もいまの行き詰まりになっているわけです。既得権益を剝がしても、経済成長は担保されません。ファシズムには、労働を貴いとする価値観に基づく生産の哲学があり、国家や民族のために働くことに崇高な意味があるという超越性を労働に導入したのですが、橋下氏には市場メカニズムを超える労働の哲学がありません。

橋下さんの政策で注目すべきは「脱原発」を掲げたことです。これこそポピュリズム的政策といえる。新自由主義政策は、ふつうは大企業の経営者から歓迎されます。しかし橋下氏には経営者は好感をもっていません。それは橋下氏が脱原発の方針を掲げているからです。

橋下さんは福井県の大飯原発再稼働に強く反対して、経済界に不安を抱かせました。「国民に重要な情報を隠したまま決断する政治は追放しなければならない」と明言した。しかしこれは一方で、情報を全面的に開示したうえで政府が責任を負うならば再稼働を認める余地があるとも受け取れる。微妙な言い方です。その後、住民の意向次第というようにトーンを変えた発言をし、結局、原発再稼働を事実上容認してしまいました。それでも基本は反原発の流れに軸足を置いています。そこから完全に脱出しようとすると、反原発のポピュリズムのさらに大きな反発を買うことになる。

もしもこの先彼が、原発を容認したうえで、なおかつ大多数の住民の支持を得るウルトラCに成功すれば、政治家として大化けする可能性もあります。

私は新・帝国主義の時代に日本が生きのびるために国家を強化するという観点から、政治家としての橋下氏の成熟を願います。いずれにしろ日本の政治を考えるうえで、当分、橋下徹という人から目を離すことはできません。

帝国主義下で脱原発はありうるか

ここで原発問題にふれますが、主としてリベラル派の人たちは、脱原発論で、もう成長を求める生き方は終わりだと言います。しかし、世界が帝国主義化している中で、脱原発は言えても、脱電力は本当に可能なのか。電力がなければ国家は成り立ちません。

モスクワのクレムリンの向かい側の発電所に「共産主義とはソビエト権力プラス全国土

の電化である」というスローガンがソ連崩壊までずっと掛かっていました。この図式はいまも変わっていません。だからこそ、クーデターが起きるときは国家の生命線の電力を止めようとして発電所が襲われることになるわけです。日本の五・一五事件でもそうだったし、イタリアのジャーナリスト、マラパルテの『クーデターの技術』（一九三一年）にも書いてある通りです。それを考えると、脱原発は日本の産業を弱くしてしまう。日本は壊れていくことになる。

私はソ連が壊れて行く実例を見ていたわけですが、ソ連という国家が西側に屈服し崩壊するや、たちまちのうちに周辺国に収奪され、国際テロ組織に食われてしまった。ルーブル危機でＩＭＦの指導下に入ったときは本当に惨めでした。それを立て直したのがプーチンです。「九〇年代に戻っていいのか」という、その一言で大統領選挙でプーチンに投票するほど、ロシアの人々にとってソ連の崩壊は無残な経験だったのです。リベラル派で、原発を即時やめろと言っている人たちは、新・帝国主義の現実において、実現可能性があるのかどうか考えてもらいたいものです。長期的にみれば脱原発は必要です。しかしそれは段階的かつ現実的に行われなければなりません。

実は独裁的な野田政権

橋下ブームとは対照的に、あまり人気のない野田・民主党政権はどうでしょうか。

野田政権の核はすごく少数で、野田総理が圧倒的な力を持ち、それから藤村官房長官、長浜博行官房副長官、斎藤官房副長官、輿石東幹事長、前原政調会長、仙谷由人政調会長代行。その七人で実質的な権力を構成しているといってもいいのではないか。絶対的に国家が弱ると、相対的に権力の集中が起きる。それは珍しいことではないのです。実は橋下市長より野田政権のほうが独裁的かもしれません。

エリツィン大統領の側近政治がそうだったし、オバマ政権も、ガイトナー財務長官、クリントン国務長官、それにパネッタ国防長官、この四人が一致すればほとんどの政策を決められるのだと思います。世界中でそういうことが起きている。フランスのサルコジ前政権もそうだったし、プーチン政権もそうです。これが新・帝国主義時代の特徴です。なんでこんなに変な王様みたいなのが出て来るのかと思うかもしれませんが、国家全体が弱っているときは権力を集中させないといけないのです。実際、放射能に汚染された瓦礫の処理問題にしても、野田首相が一言演説したら、膠着していた事態が動き出した。もう状況に余裕がないから、政治家はフリーハンドを持ち始めているのです。

国民もそれを許容してくれている。その証拠に、二〇一一年九月十九日の脱原発集会でも、約六万人が集まったのですけれども、具体的なスローガンは何も出さなかった。沖縄の県民集会だったら、たとえば教科書の沖縄戦の記述を変えろと要求して、実際に変わります。基地を県外へ出せと要求したら、県外へという動きになる。しかし東京の脱原発集会では何も変わらない。集まったというだけで、終わり。野田政権は、これで原発再稼働ができると判断したのでしょう。六万人集まっても何の要求も突きつけてこないのなら、霧みたいなもので、次に十万人集まるような心配もないだろうと考える。いまや重要なことは、意外にも政治主導で動いているわけで、だから官僚は脅えていることでしょう。

消費税を上げるという判断も、財務官僚に政治家が洗脳されたということではなくて、これが受け入れられるとしたら民度が高いと考えるべきなのです。事実、世論調査では消費税アップに賛成する人が少なからずいるのですから、この機会を逸してはいけないと思います。小沢一郎氏は反対していますが、最初に消費税を一〇パーセントにすると主張したのは小沢氏です。政争のゲームの中で使っていいカードといけないカードがあると思います。ポピュリズムに走るのだったら、税はないほうがいい。無税国家で、軍隊がなく、基地も一つもない、ゴミ焼却場も一つもない、それが一番いいに決まっている。そういう国を作りますといえば大衆受けはいい。しかしそんな実現不可能なことをいうのは無責任です。税は、使ってはいけないカードです。

民主党が増税を実現し、ＴＰＰを進めていったら、自民党は完全に息切れを起こすと思います。国会議員の歳費削減案も、年に三百万円減らすというのは大変な話で、秘書を解雇しないとならないし、餅代を減らすにとどまらず、党の施設の維持費にまで響いてきます。

民主党はどこまで企んでやっているのかわからない。おそらく計画的に他党を追いつめているというわけではなく、目先の課題を追っているだけなのでしょうが、馬力だけはあるわけです。

約束を守るという約束がない民主党

しかも恐ろしいのは、民主党政権になってからゲームのルールがいつのまにか変わったことです。

合意事項は守る、約束は守るというのがいままでの国対政治、日本の政治のルールでした。ところが菅直人前首相が登場して、約束はしたけれど約束を守るとは約束していない、というルールを導入したわけです。鳩山由紀夫氏も、一度は政治家をやめると言ったけれど、よく考えたらやはり続けることにしたという。政治の世界では、約束を守るかどうかは別の話とまではなかなか言えないものですが、このルールが日本の政治エリートに定着してしまった。これは外交でいうと、ナチス外交と同じなのです。ヒトラーやスターリンの外交の強さは、「合意は拘束する」という、他の人たちが守っているルールを守らないことでした。マヌーバー（操作、策略）の余地が圧倒的に広がったところにあるわけです。民主党の「強さ（恐さ）」も同じです。

そして国際的な背景には、アメリカの姿勢の変化があります。TPPにしても、最近はあまり焦点が当たらなくなってしまいました。日本では深刻な問題だと騒ぐ人がいますが、アメリカはほとんど問題にしていない。それは先述したように、中東情勢が変わったからです。

アメリカはアジア太平洋地域に回帰しようとした矢先、そのための大前提である中東からの撤退が、イラン問題で先行き不透明になってしまった。イランにはハリリ派というのがあります。これは十二イマーム派（シーア派）ですから、アフガニスタンのハリリ派に影響力が拡大していく可能性がある。

二〇一二年三月十一日にアフガニスタンのアメリカ兵が民家で銃を乱射して十六人を殺害した事件がありました。これは大変なことで、ベトナム戦争におけるソンミ事件と同じような意味合いを持つと思います。以前にもアメリカ兵がタリバン兵の死体に小便をかけたとかアメリカで牧師がコーランを焼いたとかの事件が積み重なっていて、その上にこの事件ですから、決定的です。アフガニスタンだけでなく、イスラム世界全体をこれで敵に回しました。アフガニスタンはまたカオスになります。その渦中にアジア太平洋地域での立て直しを図らなければならないのですから、アメリカの立場は苦しい。

この状況で日本の帝国主義的マヌーバーの余地が広がるのです。どこまで意図しているのかは別として、外交に関しては、自民党政権時代からずっとできなかったことを、野田政権は根本治療し始めたという印象があります。その一つが北方領土の段階的解決です。今後二、三年以内に領土が具体的に、たとえば歯舞群島、色丹島が返り、あとは継続協議なり、共同統治になったら、これは外交的には歴史に残る快挙と言ってよい。プーチンが大統領になったことも有利に働くはずです。

普天間基地の辺野古移転も、民主党は追求しつづけるけれども、民意が最終的に受け入れないとなったら、結局は県外移転にするしかない。実現できればこれも大変な進展です。

また中東政策において、イランを友好国とする政策を変えて西側の制裁に加わり、掃海艇を出すことも予定している。これは事実上、集団的自衛権の行使になってきます。野田政権になってからの半年で、長年の限界線をあれよあれよという間に、くり返しますが、どこまで自覚しているのかは別として、踏み越えているわけです。そして国民はそのことに気づいていない。

突然、話はそれますが、オセロの中島知子さんなどは、野田政権に大いに貢献したと思います（苦笑）。あのころ連日のように、情報番組ではトップニュースとして報道され、あの事件がなければ、増税にしても普天間にしても政府は何をしているのだと、もっと非難は集中したかもしれません。国民の怒りの総量は一定ですから、怒りがオセロ中島事件へ向かっている間に、権力の集中が起きていた。別に政府が情報操作をしているわけではないのですが、いわゆるローマ帝国の「パンとサーカス」、娯楽を大衆に与えて注意をそらす形に結果としてなっている。

そこで、私は財務官僚の気持ちがなんとなくわかる気がするのです。なぜ彼らがあれほど増税を急ぐのかというと、一種のあきらめからです。日本ではパンとサーカス政治はどうやっても変わらない、バラマキによる財政支出が減ることはありえない。ならば増税しないといけない。「パンとサーカス」政治が今後もどんどん進むという恐怖からでしょう。これも国家が身悶えしている一つの姿です。

民主党は武器禁輸三原則の緩和とともに、資本輸出にも乗り出している。国内では脱原発依存を言っていても、外国には原発を売らせてもらいます、今後は原発に潜水艦をつけてもいいですよ、ということになるでしょう。モラルもなにもあったものではない。しかし、これも意図は別にして、新・帝国主義の時代に適応しているからです。

ムーディーズが日本国債の格付けを引き下げるという話を政府筋が流しています。かつて国債の格付け引き下げに、財務省が抗議したことがありましたが、いまや政府筋が率先して危機をあおっているのです。だから原発再稼働をさせろ、増税させろ、そうしないと格付けが下がるぞという論理で、国民に人気のない二つの政策を強行しようとしている。そしてたぶんその方向に進む。民主党政権の動きは極めて帝国主義的と言えます。

物語をつくる力とアイロニー

さて、こう述べると私の真意に疑いをもつ人がいるかもしれません。佐藤優は一体、なにが言いたいのだ、と。新・帝国主義やファシズムはいいことなのか、と。

これまで、帝国主義にしても、ファシズムにしても、悪いもの、とんでもないものとされてきましたが、いまやその悪魔祓いをする必要があると私は思うのです。これは、本来一九三〇年代、四〇年代におこなわれようとしたことです。

ヨーロッパの人にとって、第一次大戦はあり得ないはずの戦争だった。近代的啓蒙の精神で、人間の理性を信頼して科学技術を発展させれば、あんな無謀な戦争が起こるはずがない。ところがあれだけの大量破壊と大量殺人が起きてしまった。また近代とは、たしかに社会に物質的豊かさをもたらすかもしれないが、同時に格差をもたらし、資本の論理が中間共同体をどんどん破壊して、人間一人ひとりが孤立化していく、「嫌な時代」であることもわかってきました。

だから理性は信用できないというので、第一次大戦が終わるとともに、新しい叡智を求めて、カール・バルトの弁証法神学であるとか、ハイデガーの実存の哲学であるとか、ゲーデルの不完全性定理であるとか、アインシュタインの相対性理論、ハイゼンベルグやシュレーディンガーの量子力学などが登場して、ものの見方が変わってきたのです。ファシズムにしても、近代的なシステムのなかでアトム化する個人を「束ねて」、人間の本来性をとりもどすという問題意識からスタートした政治運動だったのです。日本でも大東亜戦

争の思想的バックボーンになった京都学派、あるいは日本浪曼派や「近代の超克」論には
そういう問題意識があった。

ところが、第二次大戦で、アメリカが巨大な物量によって勝利を収めてしまった。アメリカはヨーロッパと違ってまだ啓蒙の精神が盛んで、しかもヨーロッパと異なり、十九世紀には西部開拓に忙しく、ロマン主義を経験しなかったので、非合理な情念が人間を動かすという感覚がよくわからなかった。そのためにヨーロッパの知識人が探究した、啓蒙の影に潜む問題が先送りになってしまったのです。また冷戦がそれを覆い隠したという面もあります。

それが半世紀以上過ぎて、二〇〇一年九月十一日のアメリカ同時多発テロ事件、二〇〇八年のリーマン・ショックで国家機能が強化され、国家に潜む啓蒙の影が顕著にあらわれてきて、近代の超克とか、ハイデガーの実存哲学などが再認識されてきています。

先回りして私の結論をいうと、結局、人間はナショナリズムとか、啓蒙の思想、人権の思想、そういうもので動くのだと思うのです。ソ連崩壊のプロセスを見ていてもそう痛感しました。

ただし、それらの思想は全部まやかしなのです。まやかしだとわかっている人たちが、

承知の上でそれらを使っていかにイメージ操作をしていくかというのが課題です。そうでなければ、これだけ大衆化が進んだ社会で、しかも資本の論理がどんどん中間共同体を壊していくなかで、国民を束ねて統治することは難しい。ときには「パンとサーカス」もつかい、ときにはファシズム的要素も必要になる。あるいはポピュリズムとの綱渡り的曲芸も必要になる。

言いかえれば、物語をつくること、ストーリーテリングの能力が必要なのです。物語をつくるのに必要とされるのは、アナロジーとかアイロニーとか、いままでは見えなかったような力です。日本浪曼派の保田與重郎のアイロニーの思想などが重要になってくると思います。直球では駄目なのです。そういう意味では、橋下氏は面白いし、民主党の前原氏がすでに十分面白い。前原氏の面白さを伝えるストーリーテラーが出現すれば、前原ブームが起きる可能性があります。かれらは子供のときに苦労しているから、物語をつくりだす潜在能力がある。自民党は二世議員が増えて、そういう力がなくなってしまったのが最大の問題でしょう。

一方、鈴木宗男氏などは、存在自体がポストモダン的とでもいうか、歩きながら「差異」を作り出している感じです。利権構造ももう持っていない。それでも数億という金が集まるのは、いろいろなところで差異を作り出すことができる鈴木氏の力が面白いからです。登場するだけで面白いという形で、木戸銭を払わせているわけです。

面白さとか、アイロニー、アナロジーの力をちゃんととらえている人は、ファシズムを始めても、ナチズムとかヒトラーのようなことにはならないと思います。ヒトラーは本気だったから駄目だったのです。

『フランコと大日本帝国』（晶文社、二〇一二年）という面白い研究書が出ました。フロレンティーノ・ロダオというスペイン人が書いた実証研究です。第二次大戦中、はじめは日本のスパイ組織などにも協力していたスペインが、日本の旗色が悪くなったら連合国側に傾斜して、最後は日本に対する宣戦布告の準備をするところまで行った。そのとき基準として用いたのは人種主義です。これは東洋の野蛮人に対する白色人種の防衛戦争だ。アメリカは人種主義に基づいているから支持する、という都合のいい物語を作り出したのです。

スペインのフランコ総統はファシストですが、物語を本気で信じたわけではない。フランコは「本物の偽者」とでもいうべき存在で、ファシズムなんていい加減なものだと思いながらやっていたわけでしょう。最後はスペイン国家を生き残らせる方法として、潰したはずの王制を戻して、世界でも珍しい共和制から王制への転換を遂げた。こんなことはおそらく二十世紀でスペインにしかなかった出色の政治だと思います。ヒトラーはアーリア人種の優越という神話を用いたのですが、ナチズムに本気になってしまったためにドイツを潰してしまい、ムソリーニもその煽りを食って滅んでしまいました。

国家機能を強化した新・帝国主義の時代を生きのびるために、日本の政治家も二十世紀のファシスト、フランコの「本物の偽者」からぜひとも学んでほしい。

そして日本という国家は、帝国主義時代のアナロジーでいえば、かつてのオーストリア＝ハンガリー二重帝国のハンガリーの位置を占めればいいのです。この場合、アメリカがオーストリアです。ハンガリーがどうやって力をつけて二重帝国にまでもっていったのか。その歴史を学ぶ必要があります。

第6章　いかに叡智に近づくか

異常な社会で一人ひとりができること

最後に、帝国主義の時代を私たち一人ひとりが、どのように生きたらよいか。私の考えていることを述べます。

ロシア語でバルダックという表現があって、これは売春宿という意味なのですが、混乱して滅茶苦茶な状態をバルダックといいます。いま日本社会がバルダックのような感じになっています。社会的な貯金を食いつぶして、異様な姿を露呈している。親の買った持家があるから、ボロにはなっても住んでいることはできる。親の年金の一部で食っていくこともできる。こうした状況下で社会と個人に根本的な崩れが起きていると思います。

四十歳になっても働かず、ニートであっても生活はできてしまう。私と同じくらいの歳の五十歳前後の人が、前田敦子ちゃんを自分が支えなくてはなどといってCDを千枚も買ってAKBの人気投票に参加する。こういう絶対的におかしなことがなぜ起きるのか、学術的な反省が必要であると思います。

あるとき中東某国のインテリジェンス関係の知人が、日本はオレオレ詐欺対策が不十分だと言って怒っていました。預金者が引き出しに行ったとき、オレオレ詐欺だったら挙動がおかしいはずなのに、それをチェックできないのは銀行の責任だ。アメリカだったら銀行が訴訟の対象になる。だからアメリカではオレオレ詐欺が少ないのだ、という。

オレオレ詐欺は国際的にすごく関心を持たれています。ただの犯罪組織だったらまだいいけれど、イランとつながる国際テロ組織だったらどうなるか。東南アジアや韓国でもオレオレ詐欺はあるだろうが、経済規模が小さいから普通の人はそれほど預金を持っていない。騙し取れる金額はせいぜい数千円から数万円。それが日本では数千万円にもなる。こんな環境はテロリストに最大の魅力ではないか。一千万円騙し取ったら、アフガニスタンでムジャヒディンを何人、タリバンを何人養えると思うのだ。あそこでは十万円あれば人を殺せるのだぞと脅されました。よほど日本が異様に見えるのでしょう。

外国から見て異様に思えることは他にもあります。日本の児童ポルノやアダルトビデオの問題です。石原慎太郎東京都知事が規制を宣言したら、リベラル派はすごく反発しました。しかし石原氏は事柄の本質がわかっていると思います。

この問題と真剣に取り組んでいるのが、『西の魔女が死んだ』で有名な作家の梨木香歩さんです。梨木さんが理論社から出した『僕は、そして僕たちはどう生きるか』という本では、「インジャの身の上に起こったこと」という章で、ドキュメンタリーというふれこみでAVを撮られてインジャ（隠者）となった女の子の話を書いている。そこだけゴシック活字で異質な章にしているのですが、私が去年その本を梨木さんから寄贈されたときは意図がわからなかった。実は、人は人を実験材料にしてはいけない、それをやるとアウシュビッツや七三一部隊と同じような構造で、大人の世界の悪を知らない未熟な女の子をアダルトビデオに勧誘することは、魂を殺す作業に荷担することになると言っていたのです。非常に説得力があると思いました。

アダルトビデオで働いて傷つき、トラウマを抱えて一生働けなくなった女性たちが数千人単位にもなっている。実はこういう異常な事態が日本社会を弱くしているのです。

梨木さんは、自らの作品を通じて「これでいいのだろうか」と説得するというプリミティブなやり方で対抗しようとしている。こういう地道な努力が、社会を強化するのです。

同胞意識をもち、かつ民族に縛られない

新・帝国主義の時代において国家機能が強化されようとしていることはここまで述べてきました。国家と同時に社会も強化される必要があります。そのためにはどうすればよいか。

　そこでまず回復しないといけないのは、人間の隣には人間がいるという、同胞意識です。日本に生まれてきている人に、一人も無意味な人はいない。そういう相互関連の中で生きているという皮膚感覚を持てるかどうかが大切で、現在の閉塞状況を一人ひとりが生きのびるためには、自分のネットワークをつくることが重要です。

　そして国家は悪いものだけれど、だからこそ大切にする。こういうことは弁証法的な関係になるものです。政治家に対しても、信頼できないからこそ、きちんと対応するというふうにしなければならない。そういう逆説によっていろいろなものを繋いでいくことです。

　この場合、日本で生まれたということが大事なのです。世界市民では難しい。人間は抽象的な存在ではないのですから、具体的な場所を離れてはありえない。そこで一人の人間が、たとえば大阪人というアイデンティティと、関西人というアイデンティティと、日本人というアイデンティティと、それぞれ密度が違ういろいろな複合域を持っているわけです。

　その中で気を付けなければいけないのが、民族というアイデンティティで、これは学術的には二百数十年の歴史しかない概念だと知ることです。しかし、それがあたかも原始から永遠に続くもののように見えている。その二重性を認識しておくのが大事です。民族という概念は、いまもっとも流行っている「宗教」であって、しかし渦中にいるとそのことが見えなくなりがちです。

われわれは通常、さまざまな概念を巡って演技をしているのですけれども、ときには舞台の上で本気になって命まで投げ出す人間もいる。それをさせるのが「民族」という概念なのだと知っておくべきです。

ただし同胞の「絆」と言っても、これも抽象的な話にしていては駄目で、仕事や勉強などで具体的に助け合わなければいけない。「真理は具体的」なのですから、働いて飯を食って行く中で仲間を見つけることです。

マネー教育をしてはいけない

われわれは資本主義のなかで生きるしかありませんが、働くということに関しては、農本主義の生産の哲学、労働の哲学に戻さないといけません。

戦後日本の高度経済成長は、実は農本主義のイデオロギーによって実現されました。工場で自動車を作る労働者も、研究所でトランジスタを開発する技師も、一儲けしようという気持ちではなく、農民が田畑で米や野菜を育てる感覚で「ものづくり」をしたのです。

らず、です。

この生産の哲学が大切です。言いかえれば、単に生産の数字を増やしていくのは労働にあ

マルクス経済学でいえば簡単な話で、株式や金融派生商品などは、労働の上澄みを取ってやりとりする異常なイデオロギーによって支えられている擬制資本（フィクチーフ・カピタル、fiktives Kapital）ですから、そういうものを追わないように文化を変えればいい。子供たちに株式投資をやらせない、マネー教育はしないという方策をとるべきなのです。つまり労働価値説を復活させて働くことにつきると思います。人間は自分が食べて行く以上のものを生産できるのです。

問題は働く雰囲気をどうつくるか、働く場所をどうつくるかということ。働く場所は、戦前の「青年よ、満蒙へ」というスローガンではないけれど、若い人は中国での就活を考えてもいいのです。沖縄出身の学業成績のよくない青年が、韓国の大学に行き、アフリカの人と組んで中古車販売をやって、年商数百億円の金持ちになったというサクセスストーリーが本（石川直貴『プータロー、アフリカで３００億円、稼ぐ！』マガジンハウス）になりましたけれど、そんなやり方もある。

高校でも、たとえば関東国際高校という私立校では、中国語、ロシア語、韓国語、タイ

語、インドネシア語、ベトナム語を教えている。実用語学習得のために現地でホームステイをやらせたり、ロシア人の先生を三人くらい入れて、ロシア・ウラジオストクの極東国立総合大学と提携したりしています。私は現在、東京・四谷の語学学校（ディラ国際語学アカデミー）でチェコ語を勉強しています。チェコ人の先生（女性）は東京外語大の講師でもあり、日本の東大にあたるチェコのカレル大学の卒業なのですが、自分の息子をこの高校へ入れ、ロシア語と英語を集中的に勉強させています。

何を身に付ければいいか考えて、少しやり方を工夫すれば、新たな就職の可能性も出てきます。アメリカでも、中国でもいいから、外国へ行って、住んでみる、勉強してみる、働いてみることです。アメリカにも中国にもロシアにもそれなりの物語があるから、それと比較して、自分たちが閉塞した状況にいると気づくことが大事でしょう。

「心が折れてしまう」人に

この新・帝国主義の現状で働く人の中に、鬱になったり、精神的に挫折する人が多いのは、やはりそれだけ閉塞による社会的負荷がかかっているからです。身近な話になりますが、出版社で週刊誌の編集部に配属された人が、じきに心が折れてしまうとかいうことがある。乱暴な取材の仕方をしている人の出身大学を聞くと、たいてい偏差値の高いところです。それと折れることはきっと関係していると思います。優等生で育ってきたから、何事も折り合いをつけずに、指示されたことは完全にこなそうとして、異常なことでもやってしまうのです。

外務省でもその傾向はある。資料の重要な部分に下線を引くときに、その箇所がずれていたりする。そうすると、資料を読む上司が相手国のメッセージが読み取れなくて政策が立たないということが起こる。そして嘘をつく。不必要なプライドがあって、自分の能力が低いと認めることができない。間違えましたとか、ごめんなさいとか言えないのです。学歴を見るとエリートなのだけれども、それは十八、九歳のときに記憶力を基準に選ばれただけで、それ以上でも以下でもないのがよくわかっていない。

立花隆氏が言っていましたが、かつては大学にも危険がいっぱいありました。いまでは危険といってもマルチ販売かカルト勧誘くらいですが、以前は「人生とはなんぞや」と真面目に考えている者が陥りやすい、実存哲学か何かを読んで自殺するという、思想の罠があった。また、思想の罠と山登りは、非常に近い面があって、無謀な山登りをしたがった。

別の方向では、学生運動に入って行く。そうすると学業を放棄してしまうだけではなく、内ゲバに巻き込まれる。大学とは、危険地帯だったのです。その中で、信用していた相手に利用されたりして人間関係の挫折を味わい、三田誠広の『僕って何』という小説に描かれたような世界を経て、訓練されたわけです。そういう過程がなくて、いきなり週刊誌の仕事をして、本当に悪いことをしている連中の取材に取り組んだら、折れてしまうのがむしろ当然と思います。

しかし、よく解析すれば、こうした人たちの負荷を取る方法や、生き残る方法は必ず見つかります。これはエリートがしなければならない仕事ですが、エリートの中でもチームリーダーくらいの、軍隊でいえば軍曹のようなエリートが広く必要になってきます。日本はこれまでそういう人たちを養成してきた歴史がありますから、その伝統は簡単には崩れないと思います。たとえば外務省の翻訳作業だったら、具体的に手を入れて直してやるような先輩がいたし、そうした現場が大切なのです。

小惑星探査機「はやぶさ」をどうやって地球に戻すかと奮闘したチームも、自分の専門領域で自分のやれることをやっている。福島第一原発で働く現場の技師も、東電本社の事なかれ主義とは違う仕事をしている。個別の場所で一所懸命やる。それぞれの仕事に内在する論理をきちんと見て、それによってポピュリズムを超えないといけないのです。言いかえれば、エリートの価値を認めることですが、エリートという言葉に抵抗があるのだったら、専門家の専門能力を認めることと言ってもいいでしょう。

どう死ぬかから人生を考える

働くことと同時に重要なのが、祈ることです。「働くことと祈ること」は中世の修道院のスローガンですが、超越的なものを考え、感じて、天地神明にでも何でもいいから、祈ること。祈りとは突き詰めれば死の問題です。

死をどう受け止めるのか、死を恐れよということです。働くことも、死を考慮の外にはおけない。いま日本は平均寿命が八十歳を超え、一方で年に三万人を超える自殺者がいるという異常な状態になっている。人生八十年の終点から見て、どういうふうに墓に入って行くのかを考えるのはすごく重要だと思います。

六十歳で退職するのはいまの日本社会のあり方として、正しいのかという議論もある。私はやはり基本は生涯働ける、生涯現役が望ましいと思います。働くといっても、単純に会社に通い続けて働くということだけではなく、社会的還元の方法はいろいろ考えられる。たとえば沖縄の離島とか、沖縄でなくても離島では、教員の異動が激しい。いま教員採用試験に合格するのは至難の業ですから、講師として一年契約する例が多いのですが、そうするとその講師は自分の採用試験の受験勉強ばかりして、教育に身が入らない。そこで、教師として長年経験を積んでリタイアした人が離島の教師になって、一所懸命数学を教える、あるいは町の名家で学習塾を開く。そのように、学力低下に対抗するためにさまざまな場所で勉強を見てやるというような、人材の活用法もありうると思います。

編集者も編集のノウハウを持っているのだから、リタイアした後もそれを生かす方法を考えられるでしょう。ただし、気を付けないと、Amazonが編集のノウハウを買いますと言ったら、みんなそっちへ行ってしまうという事態が起こり得る。作家とのコネクションを利用して、Amazonで直接出版できるようにしてくださいといわれる。そういう請負業のような編集者は、年収二千万円も保証されたらいくらでも出て来ると思います。しかしそうなったら、作家のほうが潰れてしまいます。ときには損してでも、売れない本でも作ってくれるということがないといけません。そういうトータルな出版活動は数値化できないので、ある程度の所帯の出版社がないと成り立たないのです。

ビジネスパーソンだった人たちが愛社精神を発揮して、リタイアしたOBたちが自分の出身会社のサポートをすることも大事でしょう。他にもっといい働き口があっても、元の会社の仕事をする、簡単な作業を手伝うというようなネットワークがあると、ギルド的なつながりを維持できるだろうと思うのです。

読書人階級を再生せよ

そこで私が必要を強く感じるのが、階級としてのインテリゲンチャの重要性です。かつての論壇、文壇は階級だったわけです。編集者も階級だった。その中では独特の言葉が通用して、独特のルールがあった。ギルド的な、技術者集団の中間団体です。国家でもなければ個人でもなく、私的な利益ばかりを追求するわけでもない。自分たちの持っている情報は、学会などの形で社会に還元する。

時代の圧力に対抗するにはこういう中間団体を強化するしか道はない。なんでもオープンにしてフラット化すればよい、というものではありません。

新書を読むような人はやはり読書人階級に属しているのです。ものごとの理屈とか意味を知りたいという欲望が強い人たちで、他の人たちと少し違うわけです。読書が人間の習慣になったのは新しい現象で、日本で読書の広がりが出てきたのは円本が出版された昭和の初め頃からでしょうから、まだ八十年くらいのものではないですか。円本が出るまでは、本は異常に高かった。いずれにせよ、現代でも日常的に読書する人間は特殊な階級に属しているという自己意識を持つ必要があると思います。

読書人口は、私の皮膚感覚ではどの国でも総人口の五パーセント程度だから、日本では五、六百万人ではないでしょうか。その人たちは学歴とか職業とか社会的地位に関係なく、共通の言語を持っている。そしてその人たちによって、世の中は変わって行くと思うのです。

それができなければ、資本主義の論理にやられてしまう。資本はマルクス経済学から見るとある意味では簡単で、社会の外部的なものです。商品交換という、本来共同体と共同体の間で行われていたことが、共同体の内部に浸透してきたわけです。そして共同体内を徹底的に変えてしまって、人間の存在そのものを破壊するシステムになってしまった。これが資本主義です。この現実をマルクスは百五十年前に明らかにしています。

しかし資本主義に対して即自的に反発するナチス経済学や皇道経済学のようなもの——現下のTPP亡国論など——はいけません。あるいは、経済学的ロマン主義と呼ぶべきかもしれませんが、この人たちは現代の魔術師です。ルーマニアで二〇一一年末、魔女が逮捕されるという事件がありましたが、あれと同じで、信じる者は救われるということで、予言をしたり、呪ったりする。経済学にはこうした魔術がしのびこんできやすいのです。だから私たちは、知的に鍛えておかなければならないのです。

経済学は科学だといっても、もともと近代の科学は魔術の発想から始まった。科学は、技法を習得した人が手続き通りにやれば、誰でも同じ結果になるわけです。実は呪いも、丑の刻参りは丑の刻にしきたりに従って五寸釘を打てば必ず呪いをかけられるわけで、近代科学の発想と同じです。

キリスト教がなぜ魔術（＝近代科学）を禁止したかといえば、神様は気まぐれで、私はありとあらゆるものだと言って突然怒り出したりするのであって、理屈で測れるものではないからです。したがって人間が神について考えるのではなくて、神の言うことを虚心坦懐に聞くことが重要になります。その転換が一九一八年の『ロマ書』で神学者カール・バルトが言った神の再発見です。近代的な知性の限界をどう捉えるかという問題です。

宗教学ではなく神学が大切なのです。宗教学というのは宗教を観察の対象として見るものので、むしろ無神論、唯物論の系譜ですが、対して教学や神学は宗教に対して主体的なコミットメントをするもので、いまはこちらが必要です。

この子でアダルトビデオを撮るといくら儲かるか、と観察するようなあり方からは社会の回復はありえない。こうした崩れから脱するにはユダヤ人の宗教哲学者、マルティン・ブーバーの『我と汝』（一九二三年）の根源語の話が重要です。根源語の一つは〈われ—なんじ〉の対応で、もう一つは〈われ—それ〉の対応。親子、恋人、あるいはペットに話しかけるとき、さらには神に祈るとき、つまり相手を自分と同じくらいに大切にし、配慮する関係があるときに〈われ—なんじ〉という言葉が用いられます。

これに対して〈それ〉は対象を非人格的なモノとして見ているときに用いられる言葉です。対象が人間であっても、モノと見なしているのならば〈われ—それ〉という関係しか成立しない。同じように見えても本質は異なるという問題についてユダヤ人はよくわかるのですが、それを非ユダヤ教世界の人たちにわかる言語で表現したものとして、ブーバーの作品は大きな意味があると思います。資本主義でやっていても、私たちは人間に対しては〈なんじ〉として向き合わなければならないのです。

最低ふたつの古典を持て

それにはどうしたらよいでしょうか。

古典を読むことです。若い人たちは、社会の中で相互的な連帯の回復を求めて、他人の気持ちになって考え、〈なんじ〉として向き合って他人の内在的論理を捉えるために、軸足になる古典をいくつか持つ必要があります。いまあげたバルトの『ロマ書』、ブーバーの『我と汝』も古典と言っていいと思います。『資本論』でも『聖書』でもヘーゲルの『精神現象学』でもカントの『純粋理性批判』でもいいし、『太平記』でも『源氏物語』でも『法華経』でもいい。

時代を継いで読まれて、常に一定の読者がある知的な遺産には、それなりの筋道、理屈が備わっています。一度それを身につけると、その古典の論理を使って、全く別の現象も説明できるようになります。そういう古典に、最低二つは親しむことです。一つでは駄目で、複数ないと、複元思考ができず、ものごとが立体的に見えない。読み込んだ古典を二、三冊持っている人と一冊も持っていない人では生き方が違ってきます。そして前に述べたように、優れた古典は複数の読み方で整合的に読めるのです。

私自身は、使う古典を相手によって変えます。イスラム関係の仕事が多くなればイブン＝ハルドゥーンとかガザーリーを使うでしょうし、インド関係なら、ヴァスバンドゥやナーガールジュナを使うでしょう。アメリカならエマソン。

冷戦が終わってフランシス・フクヤマの『歴史の終わり』（一九九二年）がベストセラ

ーになったことがありました。石川知裕衆院議員や、彼の世代で政治に関心のある人はみんな読んだというのですが、あれはアレクサンドル・コジェーヴのヘーゲル解釈の焼き直しです。そのことはフクヤマ本人も認めています。コジェーヴはネオ・ヘーゲリアンで、その流れにロシアの亡命思想家、イワン・イリインがいて、これを基にいまロシアのプーチンのイデオロギーがつくられていることは前に述べました。古典を読んでいると、冷戦後のアメリカ知識人の内在的論理、そしてそれが何に由来するかが理解できるわけです。

アメリカの思想とか知というものの相当部分は、アメリカの経済力に引かれてヨーロッパから入ってきたものでしょう。貨幣は権力と代替可能であるとともに、知とも代替可能で、金が集まればそこへ知的に優れた人が世界中から集まってくる。だから本当にアメリカ的なものは何かということは、アメリカが経済的に世界の二番目以下の国になったときに初めてわかるのだと思います。

イギリスの場合も、二番目以下になって、初めてイギリス的なものがあるのがはっきりしました。やはり、ロシアを含めてヨーロッパの蓄積はすごいと思います。ソ連が崩壊したときにその実力が顕われました。崩壊後のロシアのほうが、ソ連時代よりも出版物の点数は増えている。プロパガンダ用の何百万部というようなものはなくなって、総発行部数は減りましたが、数百部でも数千部でも学術書などが自由に出せるようになりました。日本没落がさかんにいわれていますが、その意味では没落した後にこそ日本の知的実力の真価が問われるのだと思います。

古典としてお勧めできるものの一つに、ゲーテの『ファウスト』があります。ありとあらゆる学問に通暁した老人、ファウスト博士が、メフィストフェレスという悪魔に出会い、良心と魂を譲る代わりに全知全能の力と若さを取り戻すというストーリーです。

その始めのほうに、ファウスト博士が「新約聖書の中の言葉を自分の好きなドイツ語に翻訳してみる。これが自分の新しい元気を喚び起してくれるところの方法だ」と言って「ヨハネによる福音書」の冒頭、「初めにロゴスあり、ロゴスは神とともにあり、ロゴスは神なりき」という一節の翻訳をする場面があります。

まずロゴスを「言葉」と訳す。しかしファウストは自分は言葉にあまり重きを置かないと言って、次に「心」と訳す。これは、神が世界を造るには、心、すなわち意図をもってしたのだから、世界には意味、心があるということです。しかしやはり自分は心でものごとが全部決まるとは思わないとして、次に「力」と訳す。しかし力でものごとを全部説明することもできない。最後に「行為」と訳して、ようやく納得した。

このくだりに注目したのが、哲学者の田辺元です。田辺元は大東亜戦争のイデオローグの一人として知られていますが、戦後、軽井沢で隠遁生活を送っていたとき、近くの小学校、中学校の先生を集めて哲学講座を開いた。その内容をまとめて『哲学入門』(一九四九〜五二年)という本を書いたのですが、そこでこういうふうに説明しました。

「初めに言葉あり」というのはギリシャ的な発想で、西洋哲学の根源です。アリストテレスにも、存在は語られるものだという前提がある。ギリシャの存在学が、言葉と離れられない関係をもつことが認められる。「初めに心あり」はヘブライ的な発想。旧約の神が世界を自分の全知全能によって造るという意志、心です。「初めに力あり」は工作的な人間の原理で近世の発想です。そして「初めに行為あり」は歴史主義の現代に当たると言ったのです。「初めにあるのは行為である。存在の原理は行為である」と。

「言葉」

「心」

「力」

「行為」

この話がとてもいいと思うのは、内在的論理とはこの四つから成るからなのです。

人を見るときに、まず言葉、論理がどうなっているかを見る。次に、論理が立派でも、心はどうか。良心的な人だろうか。そして、現実に実現する力があるかどうか。力をどう働かせるか組み立てをしているか、それとも言いっぱなしで終わりなのか。それらの要素を全部合わせて、現実にどういう行動をしているか。

人の内在的論理を知るのは、その四つから見ていくことが重要ではないかと思います。単に論理だけではなく、トータルに人間を見るということです。嫌いな人や物があったら、なぜ嫌いなのかを理屈で説明できるように努力してみる。自分の思考の鋳型と違うから嫌いなのか、あるいは前提が違うからか。価値観が違うのか。自分より優れているから嫉妬しているのか。そういうことを認識するのは、一定の訓練によってできるようになるのです。「言葉」「心」「力」「行為」の四つをつかって認識力を鍛えることをお勧めします。

なぜ小説を読まねばならないか

古典を読むことと重なりますが、もう一つ重要なのは、実は物語なのです。東大の秋入学のギャップイヤーで、四月から秋までの半年に何をすればいいかと聞かれたら、私は小説を読めばいいと答えます。長い小説をいくつか読むといい。あるいは小説でなくても、歴史書でもいい。

『ガルガンチュアとパンタグリュエル』とか『ローマ帝国衰亡史』とか、物語類をきちんと読み、自分では経験することがないであろう状況を追体験することによって、自分の幅を広げること。新・帝国主義の時代に生きる上で必要なのは、案外に小説的な教養なのです。

編集工学研究所所長の松岡正剛氏がリクルートや三菱商事などと組んで、将来執行役員以上になりそうな四十代くらいの人間を対象にした企業研修をやっています。私はそこの講師を務めたのですが、事前に出した宿題のペーパーを見ると、この人たちは優秀だけれども小説をほとんど読んでいない。後進国型の促成栽培教育を受けてきた影響でもありますが、かつての日本のエリートは促成栽培で不足なところを補うために、教養書であるとか小説とか哲学書をものすごく読んだのです。ことに旧制高校を出た人はそうでした。昔は日本の官僚とか、一部上場会社の幹部であるならば、MAは持っていなくても国際スタンダードのMAの力はある、社長とか専務になる人間は学位は持っていないがPhD相当の見識はあるというコンセンサスがあったのです。それがいまは崩れつつあります。

この傾向は、官僚がノーパンしゃぶしゃぶの接待を喜びだしたあたりから決定的になりました。ああいう接待が楽しいと思う人たちがエリート官僚にいること自体が問題です。それは下品だからというよりも、そういう楽しさは結局金銭に還元可能なものであって、風俗とかに行って喜んでいる役人は、たぶん詩を書いたり、和歌をつくったりということをしません。あるいは茶道もしないと思う。しかしそれでは新・帝国主義時代のエリートにはふさわしくありません。

品性の堕落とは、実は知性の堕落なのです。人間を合理的なことだけで捉えられると思っていると、だんだんそういう実利的、刹那的快楽の方向に行ってしまうのです。

外交においても合理主義の罠にとらえられると、前に述べたように、イランのような非合理な原理で動いている国の内在的論理がわからなくなり動静が見極められなくなってしまう。あれだけ圧力をかけて国際的な約束をさせたのだから、少なくとも明示的な約束は守るだろうと考える。ところがハルマゲドンを信じる人々は、合理的に判断するなら絶対にマイナスになるような、首脳会談の約束を破るなどという行動にもあえて出て来ることがあるのです。国家の信用を失うことも平気でやる。自分たちの尺度だけで考えていては失敗します。

政治や外交には、他の人が気づかないような、異常な発想や視点が必要なのです。たとえばかつて中曾根康弘首相がソ連のゴルバチョフと話したとき、日ソ関係は北方領土問題でずっと平行線をたどっているが、平行線もいつかは交わるかもしれないと発言しました。

それを聞いて私などは、何を言っているのだ、交わる平行線などというものがあるわけはないだろうと思いました。しかしあとになって考えると、あれは「教養人・中曾根」だからこそ言ったことであって、「教養人・ゴルバチョフ」に対して、リーマン幾何学を意識して話したのだと思うようになりました。リーマン幾何では、球体上で考えるならば、平行線は交わるわけです。

リーマン幾何は、ユダヤ教の世界からもイスラム教の世界からも出てこない性質のものだと思います。キリスト教世界で、十九世紀になって生まれたものです。神と人間は全く違う、人間は人間、神は神と考えるのがユダヤ教であり、イスラム教です。

しかしキリスト教では、キリストは神であり、人であり、二つは平行線でありながら、交わる特異点が一カ所ある。リーマンはもともと牧師だから、平行線が交わる場所が一点だけあるという発想が無意識のうちにあったのだと思う。それであるとき、球体の上で平行線を引くと交わることに気づいたのだと思います。

平行線は交わらないというユークリッドの第五公準に対して、それ以外の無矛盾な公理系がつくれるのではないかという議論は前からあったのですが、具体的に説明できたのはリーマンだった。そういう発想をする内在的論理が彼にはあったということです。

吉田茂にしても岸信介にしても、戦後の保守政治家には、そういう理屈を超えるものに気づく要素があったと思います。合理的なことだけでは国家を説明できない。国家は人間によってつくられているものなのだけれども、個々の人間の意図を超えて動き出すことがある。その意味では国家は偶像というか、ユダヤ教神話のゴーレム（自分で動く泥人形）みたいな感じです。だから目に見えないもの、実念論が大事になってくる。

その国家がいま危機的な状況にあるとすると、そこからいかに回復していくかという問題を見据え、語ることによって何らかの糸口を見つける仕事を果たす義務が知識人にはあります。

知識人の回復と東大秋入学

日本は決してアカデミズムの水準が低いわけではなく、現代思想に関しても多くの研究者がいるのですが、それと政治の世界が完全に乖離してしまっているのが問題です。知力を政治に生かすことができない。政治家は日常的な権力闘争に追われ、目先の利害調整にあくせくするばかりで、長いスパンでものごとを考える思想や哲学に触れる訓練がされていません。これでは国家とは何かを根本的に考えることができない。日本には経済的に厖大な遺産があって、まだそれを食いつぶしていく余裕があるのかもしれませんが、この状況で知識人の役割をどうやって回復していくか、これは至難の業です。

しかし、希望がないわけではありません。実は東大で教鞭をとっていたとき、受講学生の数を減らそうとして大失敗したことがあります。同志社大学の感覚で、学生をはじくために難しい試験問題を作りました。五点とか十点しか取れなかったら、同志社の学生は恥ずかしくて二度と来ないようになります。東大教養学部の専門課程でそれをやったら、八点とか十何点しか取れなかった学生が、逃げ出すどころか最前列に座り、牙を剥き出しにして勉強するのです。毎週試験したり、英語やロシア語の翻訳をやらせたりしても着実にこなし、講義のノートもきちんと作ってついてきた。その結果、外交官や日銀マンになるという人たちだけでなく、大使館の専門調査員になったり、地方公務員になったり、ラジオのキャスターになったり、少し変わった道に進む人が出ました。

私が教えていたのは秀才中の秀才です。しかし同じく私が教えたモスクワ大学の秀才学生たちに比べると、日本ではインテリとしての場所が狭められていて可哀そうでした。モスクワ大学は日本の東大にあたりますが、五年制で、五年生になると日本の修士レベルの論文を三本書かねばならない。後半の教育実習では地方の教育大学で教えるわけですが、准教授以上の扱いを受けて、みんな尊敬されます。ロシアは学園紛争を経ていないので教師の権威がすごく高いし、インテリは喋り方も、物腰も、食事のしかたも普通の人とは違います。ソ連時代はインテリは階級の一つとされていて、書類の所属階級の欄に「インテリゲンチャ」と書いたのです。

戦後の日本は、このインテリゲンチャという階級がなくなってしまった。中学、高校で成績がいいと、アカデミズムに適応性がないにもかかわらず東大に入ってしまう。入ると、何が何でも大学に残って学者にならないといけないという価値観をもっているのが、成績のいい学生に多い。あるいは、国家公務員試験とか司法試験とかを目指す。適応性がないのに頑張るのではエネルギーの無駄です。

山内昌之先生と、東大教養学部の功罪について話したことがあります。三年次から進学できる教養学部教養学科は定員が少ないので、二年生のときに全科目九十点以上とる必要がある。その中でもとくに人数を絞り込んでいるのが国際関係論で、ここを出て外務省に入る人も多いわけです。しかし幼児プレイに走ったりする変態みたいな人材が輩出されてしまったと嘆息したくなるのが実情です。

新自由主義の流れのなかで進められた、大学の産学協同路線も失敗だった。ことに東京大学だからこそ、役に立たないこと、一見、意味のないことをやらなければいけないという学問の基本がわかっていない人たちがいるのです。

教育でエリートをつくらなければいけないのに、いまの大学では無理だということになってしまったから、今度は変な形での塾ブームになる。生涯教育も塾でやるという。そんなことより放送大学を聞いたほうが水準が高いし、教材も充実しています。

こういう状況だから東大の秋入学は必然的な動きだと思うのです。これによって就活と大学を切り離して、東京大学は役に立たない、無駄なことをやる大学に戻るのではないかと期待しています。

東大の学生は真面目で優秀です。しかし、言われたことをそつなくこなすばかりで、授業をさぼって好きな小説を読んだり映画を観たり、自分のやりたい勉強をやる学生が少なくなった。立花隆さんみたいな人は今の東大からは生まれにくいと思います。

学歴が高くても全く本を寄せ付けない人もいるし、官僚は本の字面は読むけれども、仕事に必要な範囲でしか読まない。読書階級とは本来、小説や歴史書などの物語、思想書や哲学書などの古典を読む人です。実用書や技術書を読むのとは違うのです。

近代というのは小説とパッケージで成立したので、近代が続く限り小説はなくなりません。「一つの国家」という意識は、同じ言語で書かれた物語を読んでいるという意識から発達したのです。

歴史の本を読んで、小説を全く読まない人はいない。哲学書を読んで、小説を全く読まない人もいません。小説ではなくて歴史でも寓話でもいいのですが、何らかの物語を作らないと、恐らく人間は「死」に対応できないでしょう。自分が生きてきたことの物語、あるいは自分の親しい人の物語はどうしても必要なのです。猫や犬も、自分に餌をくれる人とか、トイレの世話をしてくれる人、日常的に遊ぶ人との間にはそれなりの物語を持っていると動物学者は言います。しかし人間の場合は、そこに言語というクッションが入る。たとえばセックスをしても物語はつくれない。言語を媒介にしなければ物語はつくれません。

「歴史の終わり」は来ない

時代を分析するのに重要な学問が人口学です。

人口学は物語としてみるとかなり冷たい学問です。人口学者のグナル・ハインゾーンは『自爆する若者たち』（二〇〇三年）において、テロの原因をユースバルジ（若年世代の人口過剰）の問題に還元しています。要するに一家族に三人以上の男の子がいるとテロリズムもしくは犯罪が起きるというのです。親の仕事を継ぐのは一人だけで、その周辺で面倒を見られるのはもう一人。残りの息子は移民するか、革命に走るか、犯罪組織に入るか、国際テロ組織に入るしかないという。エマニュエル・トッドの発想はまさにそうだし、山内昌之先生の『中東　新秩序の形成』でも、テロ問題を人口問題に還元しています。

戦前の日本も、人口が過剰だったので対外侵略をしたという仮説で、人口学者は一致しています。人口学の理屈をつきつめると、人口が多すぎるならば、治療法のない疫病や、飢餓の蔓延で処理しなければならなくなる。そこまで行くと生命に対する感覚も変わって、間引きなどは全然大したことに感じなくなってしまう。

逆に人口が少なくなった国には移民が必要です。日本も人口が減る以上、移民が増えるのは不可避になる。トッドのいう同化型の社会になるか、寛容型の社会になるかは相続の形態によってあらかじめ決まっているとされていて、日本は長子相続制の延長線上にあるから、同化社会にはならない。そうすると移民に一見寛容なのだけれど、それは経済成長が続くときだけで、続かないと排斥が起きることになります。

結局すべては成長の問題になってくるのです。その点は、ものごとを総合的に見る人の間にはコンセンサスがあるのではないでしょうか。

マルクスが地代論で触れているように、生態系のシステムを崩さない範囲において、成長していかないとならない。ゼロ成長を前提に成熟社会をなどという議論がありますが、ゼロ成長で安定した社会を求めるのは無理です。それを可能とするには、身分制イデオロギーが必要です。江戸時代のように、身分を固定化すれば、ゼロ成長になります。これはすごく停滞した社会で、二百年前の合戦で一番乗りしたからこの土地をもらったなどと言って、その所有権が絶対に変更されないという社会です。やはり資本主義と合致しないことをしても無理なのです。

資本主義を規制できるのは過去の経験において一つしかない。国家です。国家独占資本主義です。しかしこれが機能したのは、社会主義革命を阻止するという強力な動機があったからです。いま起きている新自由主義の蔓延と資本主義の暴走は、脅威になる対抗イデオロギーがないのが原因です。

暴走を止めるための対抗エネルギーはやがて必ず出てきます。啓蒙の思想は光を照らして世の中が全部明るくなるといいますが、光には必ず影がある。これを明らかにしたのが『啓蒙の弁証法』(一九四七年)でナチズムを読み解いたアドルノとホルクハイマーです。心配しなくても必ず影が出てきますから、その影とどうつきあっていくかという問題なのです。「歴史の終わり」などはありません。退屈な世界は来ないのです。

ロシアはどう回復したのか

日本は停滞した時代から抜け出せないと思っている人が多いのですが、あのロシアだって変われたのです。必要なのは政治のリーダーシップ、言いかえれば物語形成能力です。

プーチンは国民の物語を作るのに成功したわけです。アンチ・プーチンのデモが行われるのはマイナスの部分であって、それより大きなプラスの部分があるのを見落としてはいけない。マイナスだけを見て、ロシアはおかしな国だと言っているのが西側の論理ですが、私はロシアに長くいたので、プラスの部分が見えます。

まずなによりそれは、二五〇〇パーセントのインフレがないということです。ソ連崩壊後の一九九二年にはインフレ率二五〇〇パーセントでした。『甦るロシア帝国』（文春文庫）にも書きましたが、女子大生が家族を養うために外国人の愛人になるような状況はいまはない。アルバイト仕事をしなくてもモスクワ大生は学業に専心できます。

大統領選に勝ったプーチンが集会で一筋の涙を流したのも、その物語を動かすために必要だったのでしょう。普段は鉄仮面のような顔をしていたのも、あのとき泣くためだったのかもしれない。本人には感銘があったとは思いますが、半分は演出でもあったのでしょう。

ロシアがしたたかに生き残った理由としては、インテリの層の厚いことがあげられます。あの国にはピョートル大帝以前にはインテリはいなかったのですが、それでは近代化ができないといって無理やりインテリをつくったわけです。国策のためにつくったのですけれど、インテリは知恵をつけてきたら、全く国策に協力しなくなってしまった。こんな遅れた国にこんな変な皇帝がいるのがいけないと、革命家になるのが多かった。

とくにヨーロッパに憧れを抱いたゲルツェン（十九世紀のロシアにおいて社会主義の父といわれた作家）などの西欧派はそうなのですが、といっても単なる西洋かぶれではなく、ヨーロッパの行きつく先は経済格差であり、人間の連帯性のない社会であるというので、社会主義者になって、亡命を余儀なくされる。インテリがロシア社会とずれるのです。

ところが日本ではインテリが体制に上手に糾合されてしまう。良い子になって、インテリなのか、官僚なのかわからなくなる。そしてそこからはみ出す者に対しての許容度の幅が狭い。だから私程度の人間でもつまみ出されてしまったわけですが、諸外国では境界線上の人間を包摂することに成功している。それが社会にイノベーションをもたらしているのです。だから日本でも、みんなが少しだけ勇気を出して行動する必要がある。「少しだけ」という点が重要で、あまり勇気を持ちすぎるとはじき出されますから、現実に影響を与えられなくなる。

すべては言葉からはじまる

新・帝国主義の時代に生き残るには、個人で生き残ることと、国家や社会が生き残ることとの連立方程式をうまく組み立てることを考えなければいけない。個人だけでは生き残れないし、個人がなくては国家や社会もありえない。その連立方程式にうまくはまると、周りも相当程度支持してくれるのです。

個別利益だけを追求している人は、その個別利益によって裨益する人以外には支持してもらえない。一方、現実から極端に遊離した大義名分や独りよがりの正義は短期間しか続かない。その双方を満たすような連立方程式の解を見つけて、何らかの関数体を作っておかないといけないのです。その力が日本人は弱くなっているのではないでしょうか。

新聞に面白い記事が載っていました。京都大学等の研究グループが二〇一一年二月に、文科系で就職した約九千人の統計をとったところ、大学入試で数学受験をした人のほうが約九十万円年収が高いというのです。文科系の数学受験だと数学ⅠＡだから、微積分は必要ないが、二次関数くらいまでは勉強している。そうすると、ものごとが関数体で動いているという感覚や、あるいは集合の入口くらいはやっているから、論理的なものに対する感覚があるということではないでしょうか。それが実生活に影響してくる。ロシアの大学を見ると、やはり数学のウェイトが文科系でも非常に高いのです。

たとえば北朝鮮にだって、境界線を察知する力を持っているテクノクラートがいることが、二〇一二年四月のミサイル発射失敗で感じられました。過去（二〇〇九年四月）においては、衛星を打ち上げたと嘘をついて、「金日成将軍の歌」「金正日将軍の歌」などを宇宙で流しているとまで発表していましたが、今回は失敗を認めることができたのです。外国人の見学者を連れてきたテクノクラートは、失敗の可能性も予測していたと思います。

逆にそれを奇貨として交渉カードに使ってくるのでしょう。インテリというのは、国を超えて共通言語をもっているものです。

その境界線に日本人はまだ気づいていない。ヘーゲルが『法の哲学』（一八二一年）で言ったように「ミネルバのフクロウは、夕闇を待って飛び立つ」。気づいたときには、もう終わっているのです。

キリスト教の概念でインコグニトというものがあります。キリストが復活した後、一緒に道を歩きながら、弟子たちが気づかないわけです。そして「あ、キリストだ」と気づいた瞬間、もう見えなくなっている。真理は常に匿名性の下に現れる。ミネルバのフクロウもインコグニトも、あるいは神道の「言挙げせず」というのも、すべて共通していると思うのですが、形をなすのは、事後なのです。

われわれは常に過去の物語を知ることしかできない。過去の物語を知ることによって、現在の物語を形成していくのです。物語が大事だというのは、そういうことです。これは言葉の問題なのです。いかに正しい言葉を使うか。弟子たちがイエスに、これを食べたら罪になるかどうかと尋ねると、イエスは「罪を作り出すのは人の食うものではない。人が口から吐き出すものだ」と言う。つまり、言葉だということです。日本が元気に立ち直るためには、日本人一人ひとりが言葉の使い方を変えて、国民を統合する物語をつくりだすしかないのです。そして、目に見えないものに想いをはせる。それが叡智に近づく唯一の道だと思うのです。